U0105849

藝術玩具的未來世界

策劃

Howard Lee
Kenny Wong
Kila Cheung

作者

陸明敏

序一

記得二〇一六年某一天 Kila 找我和 Kenny，談及想製作一本有關香港設計師玩具的書籍，當時我想也不想就一口答應了（不自量力）！

還好，有 Liza、Yuki、Kila 和 Kenny 老師全力發功，此計劃才不至被我拖垮。在此我先要感謝他們為此計劃付出百分之二百的力氣（鼓掌）。

現在聊聊這本書吧！玩具一開始是給小朋友的，慢慢才發展到成人市場。大約二十年前，因為一般的玩具已經無法滿足一個特別的族群（設計師），所以他們會開始改裝自己的收藏，想不到這個小小的漣漪，在之後的二十年，為玩具市場帶來極大的迴響……，亦影響到很多設計師投入設計自己心目中的玩具！然後呢……？

隨著設計師及收藏家的市場漸漸成熟，設計師玩具已經在不知不覺間，漸漸踏入藝術的領域！

很高興在過去這一年，Art Toy 有很好的新景象，全世界有關 Art Toy 的展覽越來越多，也越來越成熟。身邊的朋友一個一個開始跨界別進入藝術圈，打開香港以外的市場，並取得很好的成績。更開心的是見到很多年輕的藝術家及公司也相繼投入 Art Toy 的創作行列。

回想我在二〇〇一年開始投身這個行業，跟一班志同道合的狂人在這個行業內盲衝直撞，真的獲益良多！真慶幸自己有緣參與這個 Art Toy 的大航海年代！

希望大家繼續努力！一起去勇闖這片藍海！Yeah !!

Howard Lee

序二

藝術玩具這個行業就好像要把藝術作品量產的一場運動，參與者有從事藝術創作的狂熱分子、生產商、店家、收藏家、評論家、報導者、忠心粉絲及炒家，他們一環扣著一環的推動著、催化著這個潮流產業，每一環的比例也直接影響著這個行業的生死存亡。因為跟潮流掛鉤，所以自然會有潮漲潮退的週期，藝術玩具除了材質不一樣外，其實它與傳統雕塑藝術品並無差異，是一種既能雅俗共賞，又能為大眾所收藏。作為一個在十八年前就不小心踏進這個圈子的設計師，後來終於明白到，這場運動最重要的並不單單在於你的作品有多厲害，而更取決於你的膽量和堅持。

Kenny Wong

目錄

台灣

泰國

中國內地

新加坡

附錄

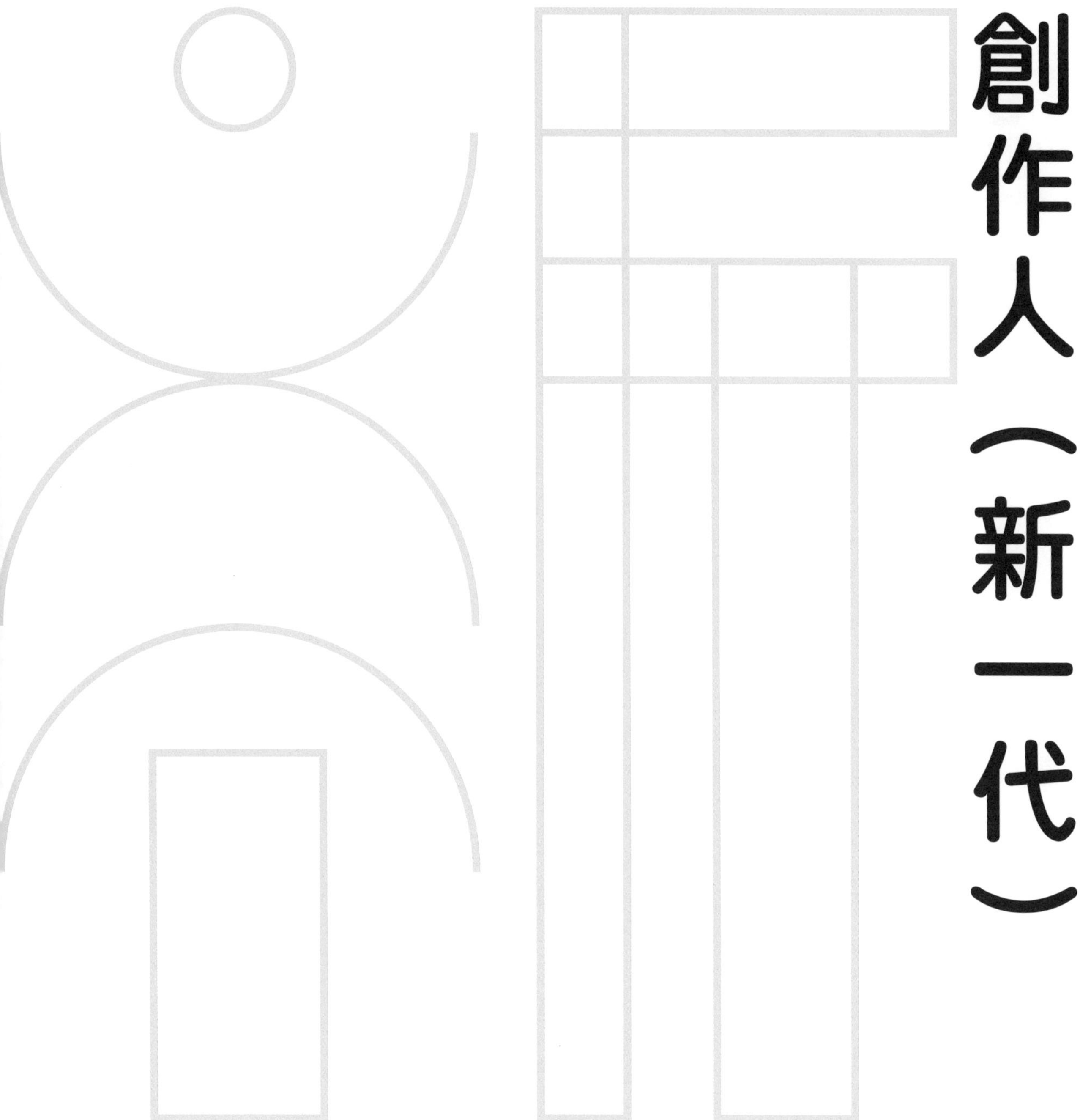

創作人（新一代）

CH.1

Pucky
Kasing Lung
Kila Cheung
Devil Toys
Black Seed Toys
Ryan Lee
Miloza Ma
Rainbo Aws
Don't Cry In The Morning
Play Studio
Bubi Au Yeung

來地球體驗的創作者

Facebook · puckyart

Instagram · puckyart / Website · hellopucky.com

成長於香港及加拿大兩地，透過創作探索身份和歸屬感。二〇〇八年畢業於溫哥華的艾蜜莉卡藝術及設計大學（Emily Carr University of Art + Design），回到香港成為一名自由藝術家和插畫師，創造了品牌「Pookie」。她的作品結合可愛與黑暗、善與惡、愛與恐懼，同時深受來自世界的奇蹟和奧秘所吸引。

PUCKY

LONG NIGHT/
9.8 INCH/
RESIN/2018

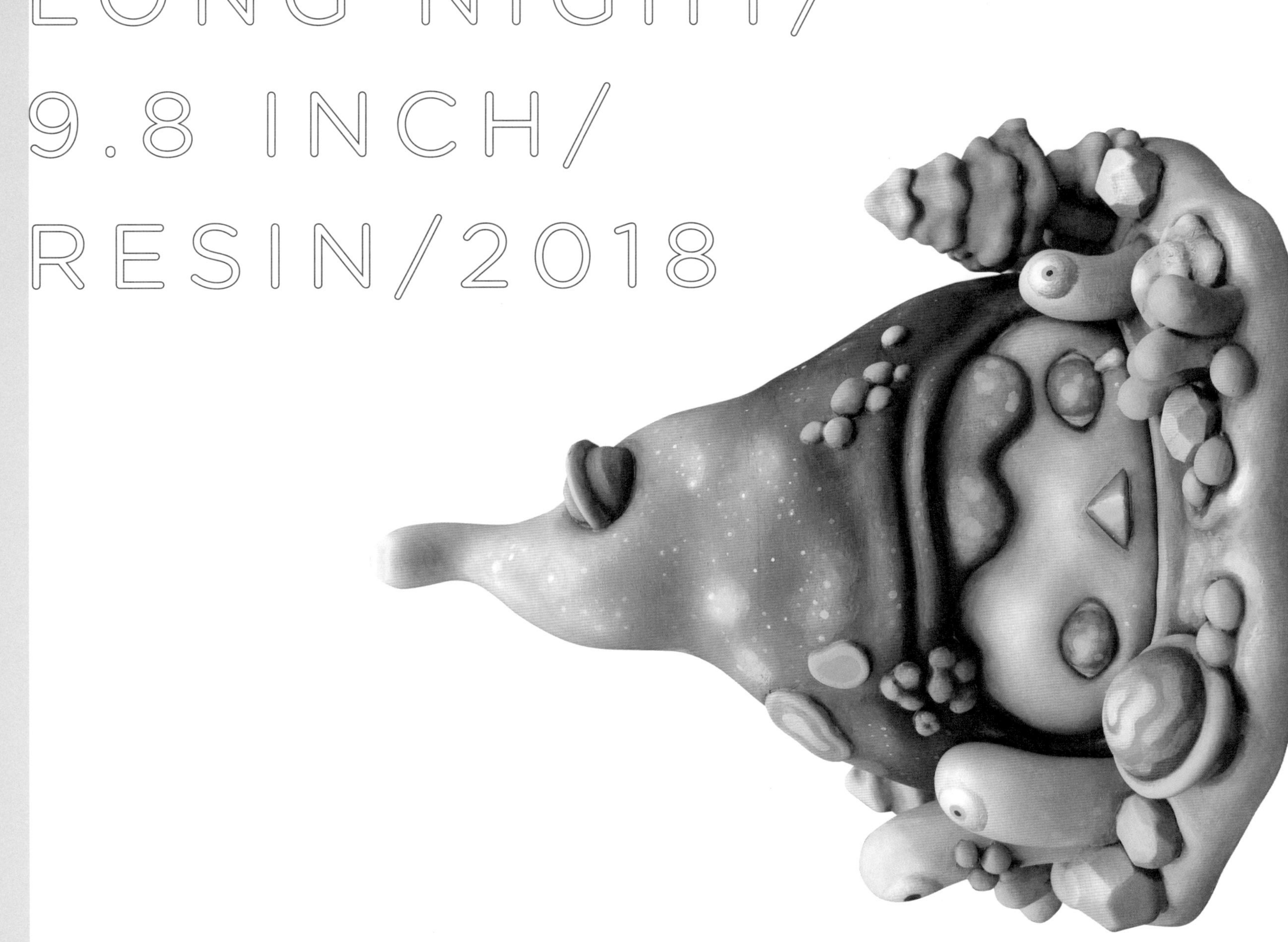

眼前這個甜乎乎的女生 Pucky（畢奇），作品七彩繽紛，圓滾滾又可愛的小丑及外星人，乍看之下很歡樂，看久了卻有種靜謐的冷漠與哀愁：可憐的小丑外星人流落到地球，一直沒有辦法與人溝通，所以總是有種自己不在家的感覺。這種感覺，原來是畢奇自己的寫照：「我小時候一直都有種很怪的感覺，覺得自己是不屬於地球的生物。長大了以後，接觸多了 New Age 靈性方面的理論，我相信每一個人都是一個靈魂來到地球體驗及經歷事情，漸漸我就明白了為甚麼小時候會有那種感覺。」她把這種感覺及看法滲進作品中，讓人感到有趣又可愛之餘，也希望令人有共鳴，「這個世界不是所有東西都如表面般歡樂，我希望其他人會感覺到我的作品背後有一個故事，可以感受到深一層的意義。」

Pucky 自小喜愛看日本動漫，聲線甜甜軟軟的她，或會令人有種錯覺她是那種喜愛少女漫畫的小女生，沒想到她卻笑言最喜歡血腥的《幽遊白書》、《烙印戰士》及伊藤潤二系列。Pucky 這個名字，正是取自《烙印戰士》中的精靈巴克（Puck）。她畢業於加拿大的藝術及設計大學，畢業作品描述十八層地獄，長相可愛的角色被勾脷筋、浸油鑊，恐怖又可愛的風格早見端倪。二〇〇八年畢業後，她回到香港找了一份跟畫畫相關的工作；同時，接了一份 freelance 繪本項目，是跟楊采妮合作的。早上天未光她就起身畫插圖，然後上班，放工後又一直畫至半夜，最後公司覺得她志不在工作，被辭退了。這亦成了影響她創作的關鍵。「雖然有少許不開心，但另一方面又覺得鬆了口氣，沒有工作，卻因此多了時間。我覺得那段沒有工作的日子，對我創作歷程有很大影響，創作空間很大，而且再

Pucky 有源源不絕的角色靈感。

Pookie 系列是 Pucky 成為玩具創作人的第一個系列，更中了 Fans 的少女心。

也不用被框架框住，可以自由地發揮。那時我去了埃及，我小時候已經超喜歡這個國家，它帶有濃厚的神秘色彩，也存在很多未解開的疑團、傳說，例如外星人、金字塔的神秘力量，我對這些超自然的東西都很著迷。後來，我把這個地方的文化及故事融入到我的創作中。」

Pucky 與 Kila Cheung 同為著名玩具設計師 Kenny Wong 的入室弟子，拜師以後，才正式從平面的插畫作品走到立體玩具創作之路。「我與 Kenny 一

Bon Bon mini figure 系列，以簡約感為主。

直都認識但不是很熟絡，因為我們都是香港插畫師協會的會員。因為我與 Kila 熟絡，他經常走到 Kenny 的工作室玩，我又跟著去，大家漸漸變得熟絡了。Kenny 跟我說，若果我的平面作品變成立體會很有趣，當時我不相信自己有能力去處理立體作品。但 Kenny 願意從零開始教我，所以我就拜他為師，由最基本的學起，開始去做自己的玩具。」除了技術，Kenny 的工作態度也深深的影響了她，自認懶底的她，因為 Kenny 超級勤力，令到她對於工作的認真程度大大提高。對於師傅，她讚不絕口：「每一個人他都會用心對待，有一些跟隨了他很多年的 Fans，都已經變成他的朋友，我覺得這都是很值得學習的。他很喜歡嘗試新的可能性，思考如何『Think Out of the Box』。」

從為興趣的平面創作，走到立體的玩具生產銷售，也要配合天時地利人和。因地利的關係，Pucky 認識了 Kenny 工作室旁的 How2work，早期她的 Polystone 公仔都是由 How2work 生產，「原本覺得生產會很困難，但認識了 How2work 就開始覺得自己都有可能做到，他們會生產藝術味比較濃的玩具，即使你有充裕能夠找到一些工廠替你出玩具，其他廠牌未必能做到這一點。而我自己會比較喜歡 Polystone，我覺得 Polystone 比較接近一件雕塑，它的質感、重量比較接近藝術。」可以說，Pucky 做玩具，一開始就已經是朝向藝術的方向發展。立體玩具之於她，其實就是一幅立體的

Pucky 的作品中獨有的孤獨感，容易使人有共鳴。

畫布，她的玩具帶有粗糙的筆觸，玩具是從她的畫作延伸出的另一種可能。

目前她雖然仍然以畫畫為主線發展，但也希望透過不同的媒介去展現她的世界觀：「我覺得很多創作人都希望自己的世界觀可以在不同的渠道表現，即使我們是畫畫的創作者，看了一齣電影以後，都會想如果我的作品變成電影會怎樣？如果我拍一段短片會怎樣？我寫一本書又會怎樣？不斷想去探索不同的媒介，有一點像添布頓（Tim Burton），大家都認同他是一個很好的導演，但他同時又能夠畫到小朋友的繪本、寫書、拍定格動畫電影等，你能夠從不同的產品中，感受到他的世界觀，我覺得很多創作人都想做到這一點。如果我做了這一件玩具，我都想能夠表達我的世界觀。」

談到創作上的困難，雖然近年多了女性設計師加入玩具行列，但以男性為主的玩具世界，女性會否感受到阻力？Pucky 就覺得女性甚至會比較有優勢：「例如你去玩具展，十個創作人中可能只有兩個是女性，玩具迷會覺

雖然 Pucky 主力畫畫，但她同時也希望透過不同媒介去呈現她的世界觀。

得很難得有女生做玩具，所以做玩具的女生會特別受到注意。我很感動的是，在這個圈子中，大家都互相幫忙，至今為止遇到的所有人都是不求回報地幫助我，尤其是前輩，我作為後輩從他們身上學習了很多。」土地缺乏的問題愈來愈嚴重，租金是最直接影響創作者能否繼續創作的主因，畫作、玩具都需要實體空間擺放，「現在我算是很幸運，因為我可以在 Kenny 的工作室工作。之前，自己都有租觀塘的小型工作室，但問題是若果我要畫大型的作品，或者來了一批玩具貨品，就沒有位置擺放。」

左：Pucky 在「Design Festa 2015」中所創作的大型壁畫。
右：作品《宇宙》，每一個人的身體內都裝了一個無限的宇宙。

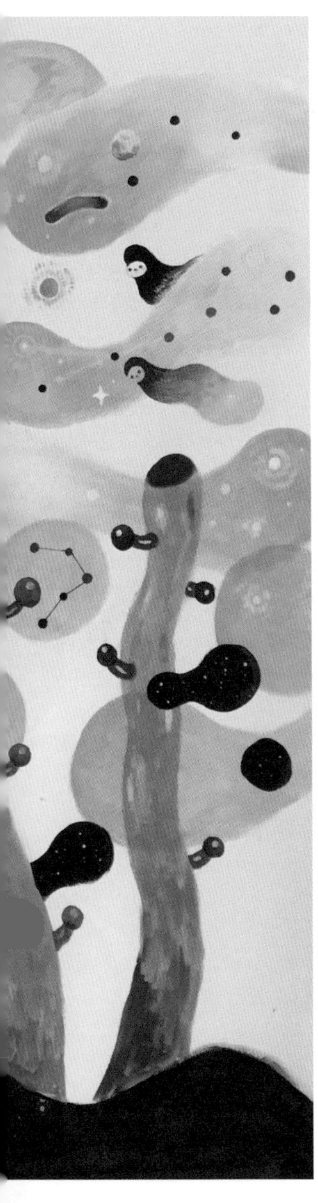

創作人想表達的訊息

藝術玩具訪談

藝術玩具是甚麼？它與傳統玩具、藝術品有分別嗎？

這要視乎創作者如何看待他的作品。我與 Kila Cheung 的看法都比較接近，他希望在雕塑作品中表達他的感覺或自己的另一面，我會覺得這是藝術玩具。普通玩具的話，觀眾的位置佔比較重，創作時就未必會從你自己的藝術角度出發，如果我要做一件普通玩具，我不會做現在做的事情，大概我會做一些比較大眾化的產品，例如卡通片中的角色。但如果該角色與一些藝術家合作，加入藝術家自己的概念，為原本的玩具添加了意義，就會變成藝術玩具。我覺得藝術玩具的內容會有多一點藝術家自己的考慮在其中，例如我的世界觀、我想表達的訊息。我覺得到最後是要視乎藝術家如何定義，可能他會覺得這是藝術玩具，但有些人覺得不是，所以我覺得定義是很主觀的。

至於是否藝術品，如果只有一兩件我會覺得是藝術品，但如果產量多了就會更加像是一件藝術玩具。如果有一天某件作品於畫廊展出，我就會只做一件，而且全部都是自己手畫，比較特別的，那件作品可能已經純粹是一件藝術品。所以我覺得有很多因素去形成這是否一件藝術玩具。

美女玩具設計師的形象，反而讓她在市場上佔有優勢。

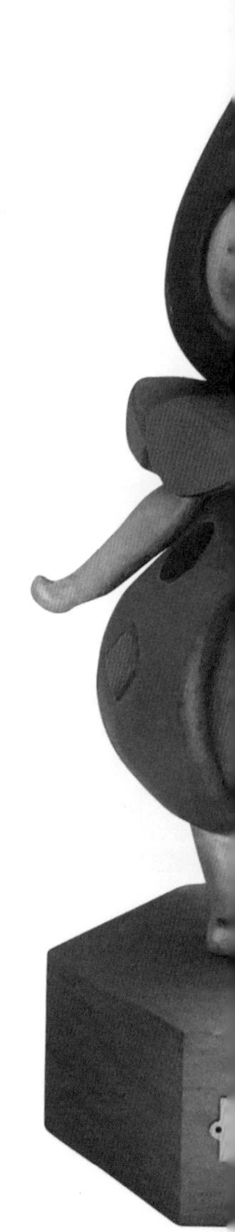

Pucky 的創作很多時都來自忽發奇想。

藝術玩具發展的困難是甚麼？

我覺得在香港還未有太多人認識這是甚麼。例如我的父母知道我的作品賣過千元後，他們都會說不知道為甚麼會有人買，覺得這些東西沒有用（笑）。始終上一輩未必會將錢花在用不著的地方，在外國可能比較多人會捨得花錢在自己喜歡的作品。香港的藝術教育也不太好，我曾經到一間學校做分享，那些老師會跟我說，現在的家長會投訴學生投放太多時間在畫畫方面。

一切從繪本開始

Facebook · Kasing Art
Instagram · kasinglung

成長於荷蘭的香港人。大學主修美術科，畢業後曾返港投身漫畫工業，現於比利時定居，創作兒童繪本及繪畫電影分鏡，以及從事玩具創作。

KASING LUNG

LABUBU/
6 INCH/
VINYL TOY/
2015

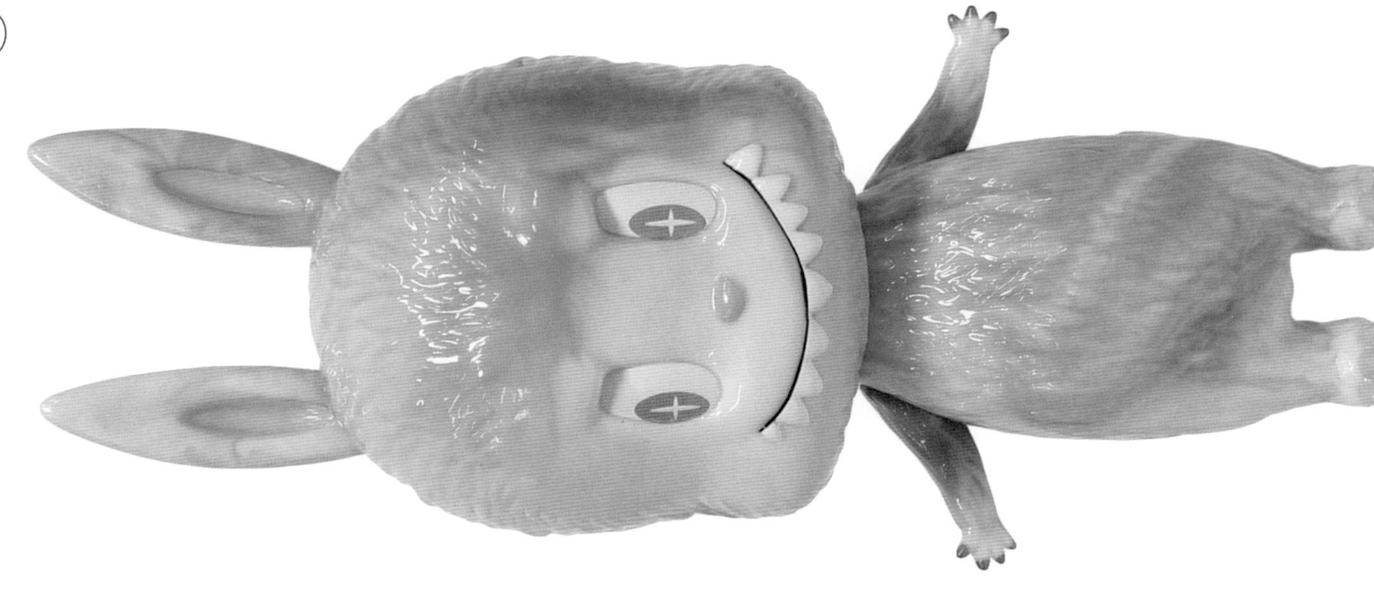

Kasing 六歲隨父母移居荷蘭開餐館，在一個新的陌生環境，溝通是最大的問題。初時學校老師會給他看簡單的繪本，在歐洲小學，規定學生每年要寫兩三本讀書報告。而小孩的入門書，必定是字少圖多的繪本。當時 Kasing 一家住在餐館樓上，跑跑跳跳發出聲響會被投訴，在沒有甚麼娛樂的環境下，也只好看繪本，漸漸地他培養了對繪畫的興趣，閒時塗塗寫寫。後來上中學，他希望選擇跟美術有關的科目，於是選了設計。他在九十年代回流香港工作，從事設計、繪畫相關的工作兩三年。那時他的女朋友（現任太太）在比利時，為了不想分隔兩地，他便決定到比利時找工作。「大約在二〇〇二年，剛好有位編輯找我，叫我試畫一些繪本作品投稿到出版社，當時我也有一點保留⋯⋯但我還是嘗試了，可惜沒有回音；二〇〇三年我參加繪本比賽拿了冠軍，終於得到出書機會，就開始了以繪本師作為職業。」

二〇〇〇年初離港時，正值香港設計師玩具的開端，「我本身有留意玩具，喜歡 Michael Lau 的設計，當時搪膠熱潮開始。」回比利時後，他也常常接觸到設計師玩具的資訊，香港的潮流雜誌甚至會在荷蘭出現。「我家因為開餐館，有時香港旅行團來吃東西，我跟導遊因而熟絡了，他們會帶來一些潮流雜誌。那邊的生活很枯燥，看這些雜誌會留意到潮流玩具。」

二〇一〇年，Kasing 把個人繪本作品放上 Facebook，被 How2work 老闆 Howard 相中，主動提出希望跟他合作生產玩具。「當時我覺得很奇怪，為

Kasing 的手稿充滿了黑色幽默，又帶點歡樂。

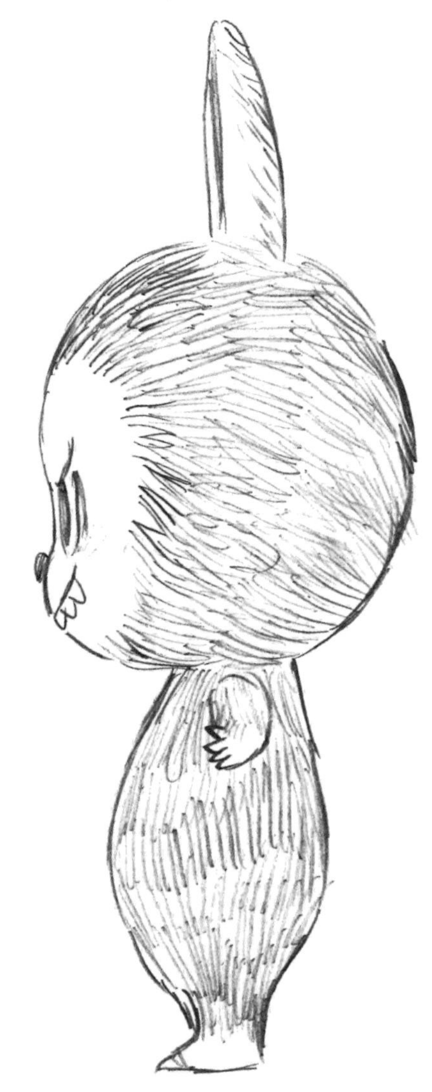

Labubu 的誕生。

何會找我？他說對我的作品感覺很好，我當時第一個疑問就是：行嗎？真的可以變成立體嗎？我覺得我的作品跟立體是兩件事啊！我想了一下，就覺得不如試一下吧？Nothing to lose！當時我又有一份正職。」他們的合作模式是，How2work 出製作成本，Kasing 出設計，產品賣出以後大家就分成，這種模式跟他與出版社合作推出繪本一樣。「反正是一樣的難捱吧！」Kasing 笑了笑說。

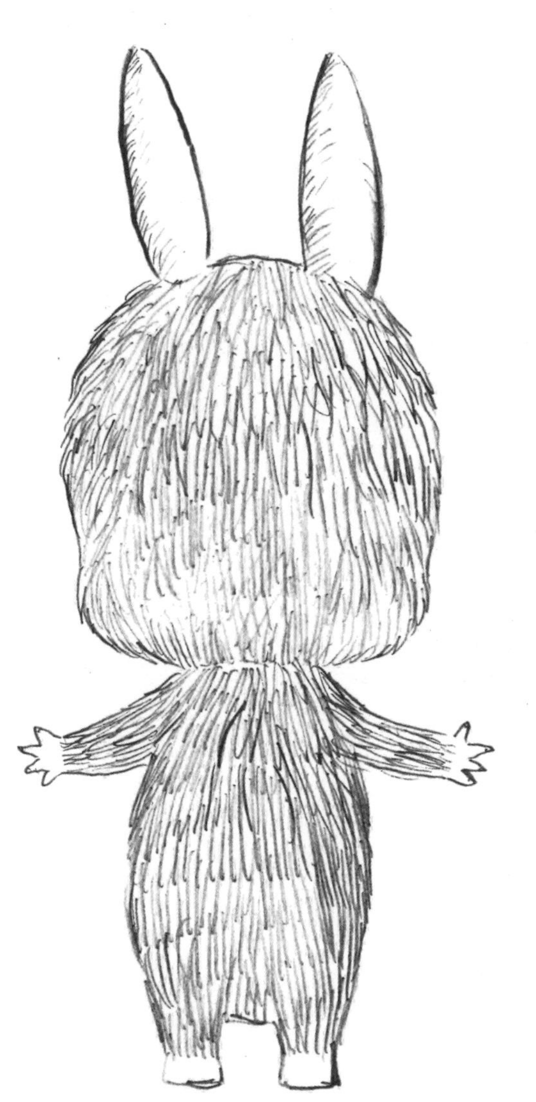

決定合作以後，Kasing 就想了一些設計，第一次開會的時候，發現原來 Howard 已經選好了他繪本中的幾個角色，「原來 Howard 是計劃出系列！我開始擔心了⋯⋯怕蝕了他的錢，但 Howard 說放手試試吧！當時玩具市場比較淡靜，沒有人討論。我推出產品時，很多同行都說羨慕我可以推出產品，因為當時不像現在很容易就能推出產品的。」因為喜歡 Michael Lau 的作品，所以當時他很想做搪膠玩具，但搪膠生產數量比較多，Howard 便建議先做 Polystone 產品，可以做少量，試一試市場的反應。

上：Kasing 首本華文繪本《我的小星球》（*My Little Planet*）中的主角 —— A Boy。

下：Kasing 認為作品永遠都應該概念先行。

The Monsters 系列中的角色 Tycoco。

「當時玩具展覽不是那麼多，不像現在泰國、中國內地、台灣都有，所以銷售渠道不多！」

從前的繪本，目標群眾是兒童，搖身走入屬於成人的藝術玩具世界，如何調節自己創作上的轉變？「開始我完全沒有想過（笑）。How2work 邀請我合作時，我完全是門外漢。市場上的消費群多數是大人，兒童是不買這些產品的，而且女性比例比較多。可能是我的產品太孩子氣，於是我開始調節方向，將部份造型改了。」雖然說是調整，但一切會以自己的喜愛為重點。「我希望可以在兩者之間作出平衡，亦想大家認同我的眼光。」

有關創作，他記得有一次跟 Michael Lau 閒聊，對方說做一件產品或者設計，永遠都是概念先行，不要流於技術。不要為了技術而做產品。他十分認同！

左：二〇一六年 Kasing 於台灣舉辦展覽，他不諱言作品風格受 Edward Gorey 影響。
中：Kasing 在展覽中即席繪畫。

第一個玩具森林系列，銷售反應只屬一般。二〇一三年，他推出了第二個 A Boy 系列，跟台灣城邦出版社合作出版《我的小星球》一書，銷量不錯，連帶玩具的銷量也上升，之後出席活動也多了很多粉絲支持。二〇一五年，Kasing 推出了自己一直以來都想做的 The Monsters 系列，「我一直都想做精靈、怪物的產品，因為小時候我很喜歡看北歐的繪本，有姆明，也有北歐的妖精、神話故事，造型有些恐怖、黑暗。我也很想畫黑白的繪本，因為我很喜歡 Edward Gorey 畫的黑白骷髏骨。他畫的作品略帶黑暗，目標雖然不是小朋友，但小朋友也會看。他出了一本書教小朋友認英文字母 ABCDE，D for Death，全是跟死亡有關的字眼。添布頓也受他

的影響。我的第一本 The Monsters 系列繪本，全本都是黑白的，正是想向 Edward Gorey 致敬。現在希望每年仍然創作一本有關歐洲精靈的故事。」

現在海外陸陸續續有機構邀請 Kasing 舉辦展覽，有商場，也有畫廊。但比較少在香港出現？「有人會問為甚麼我只在台灣做，但香港沒有？有的！二〇一七年年中我就在香港舉行第一次作品展。但根據 Kasing 的觀察，台灣消費者的接受能力較高，不著重品牌，喜歡就買，商業機構也很願意支持新晉、未有知名度的設計師，也有畫廊、商業機構配合，將藝術玩具當是藝術品般展示。「相對來說，我覺得香港比較困難，因為香港地方小，人才多，競爭大，比較吃力。但香港有一個好處是，在宣傳方面，很容易取得全球的注目。」

不要當是潮流

藝術玩具訪談

藝術玩具是甚麼？它與傳統玩具、藝術品有分別嗎？

藝術玩具介乎於玩具與藝術之間，是大人收藏的產品。現在的玩具製作比以往精美得多，設計味也比較濃厚，具有觀賞價值；而藝術玩具很多時是 artist 以自己的喜好為大前提，不會有太多計算，有時還帶點個性……如果你一直有收藏藝術玩具，立即就能分辨出藝術玩具及普通玩具。

Kasing 興奮地與超巨型 Labubu 合照。

藝術玩具與藝術品的分別在於價錢，藝術品的售價偏高，而且不會量產，多數只有一件。但如果可以做少量量產，價錢變得較為可以合理，這就是藝術玩具。而藝術玩具也好像正在以量產藝術品的方向推進。

藝術玩具發展的阻力是甚麼？

我覺得近年多了年輕人留意藝術玩具，大概是因為推廣多了。我剛開始做玩具的時候，比較多是年長的人購買，因為他們小時候喜歡玩具但買不起，所以現在具備經濟能力就會買很多。現在市場蓬勃了，多

不同顏色的 Labubu 手牽手並列在一起，有種和諧又團結的感覺。

了設計師出來，變相不同類型的設計師都會受追捧。

在香港做任何事都需要快速的推廣，這或許跟香港的文化有關，很受資訊植入影響。香港人生活忙碌，周末即使有假期，都不太思考參加甚麼活動，直接將資訊放在眼前就好；但在台灣、歐洲的一些畫廊、商場，會有很多活動小冊子，大家也會主動去尋找相關的資訊。在香港要做藝術玩具，可能是要不斷推廣。但大家似乎忘記了解藝術家在創作背後的理念。

把成長的笑和淚刻進作品

Facebook · Kila Cheung

Instagram · kilacheung_art / Website · kilacheung.com

生於香港，於香港理工大學畢業，現從事繪畫、雕塑的藝術創作，創作主線有小明系列。他認為人不要太成熟，要保持好奇心，有勇氣反叛，有時間發夢。

KILA CHEUNG

MR.MING/
9.6 INCH/
POLYSTONE/
2015

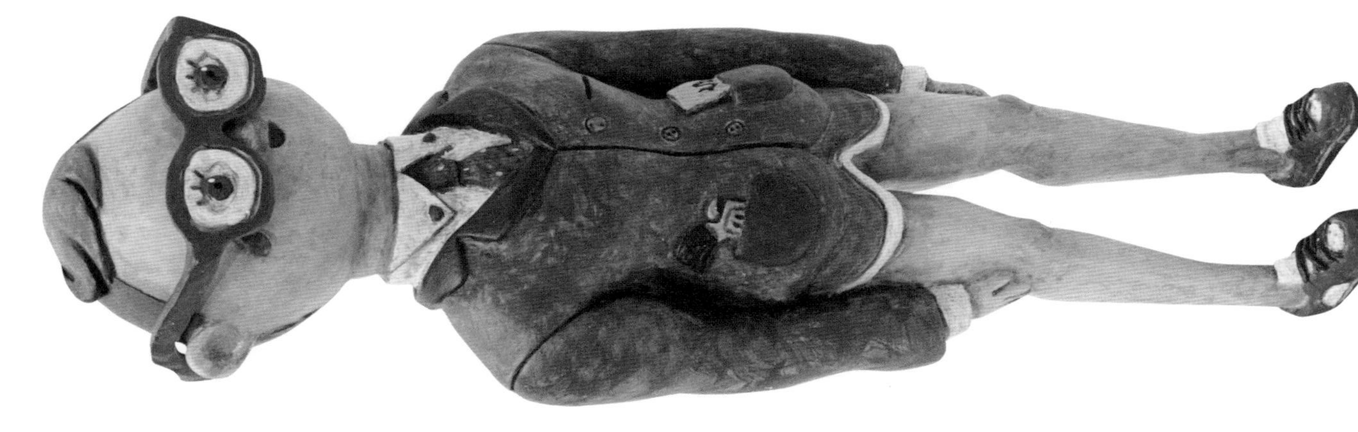

「小明」是 Kila 創作的角色，它臉上總是「笑到喊」的樣子，永遠穿著運動短褲。有人會直接叫 Kila 做小明，因為從小明身上就能看到 Kila 的經歷。現實中，跟 Kila 聊天時，他有許多句子都是以「哈哈哈」作結尾，還笑得很大聲；他大學時，是香港游泳代表隊的成員，每天清晨五點便起床練水，放學後又再練水。二〇一三年，Kila 完成了第一個立體作品小明，就是身穿運動套裝，有兩滴大大的眼淚在笑臉上。「我喜歡在運動場上全情投入的狀態，在運動場上，你不會掩飾自己流汗、流淚和大笑。」這個階段的 Kila，剛出社會工作數年，被人批評不擅交際，過於直白，對上司亦如是，「我會直接跟上司說 ，跟你的方法去做，會好核突，我不會做。」Kila 覺得坦白並不是錯，於是他把這個「所謂的缺點」放在把情緒畢露的小明身上，不要當個成熟的人。

二〇一三年 Kila 首次參加台北國際玩具創作大展，當時他的名字在台北沒有人認識，但他帶過去的二十個 Polystone 小明，首天就賣完了，還有人要訂購。「原來單純透過作品也能感動人，讓人想擁有。」Kila 第一次有這個領悟。小明之所以叫小明，正因為他是 nobody，也可以是 anybody，有共鳴的就是小明。

二〇一五年，他創作了身穿西裝外套的小明，西裝小明架著一副有雙亮晶晶假眼睛的眼鏡。「我很喜歡關於弱者的故事，如電影《不一樣的爸爸》、《阿甘正傳》。我覺得小明是一個弱者，他要很努力才能達成目標，不像一些天才，很瀟灑就能成功。經歷過掙扎的人，才有血有肉，他們的故事

Kila 自學生時期開始發白日夢，至今還未夢醒。

塑膠彩版本的 Starry Starry Night。

才能感動人。」脫下穿著西裝的小明的眼鏡，可看到他的兩滴大眼淚，比起運動裝小明，更帶傷感。「工作的日子久了，發現那個坦白的小明是行不通的，原來真的要跟人溝通和妥協，所以就戴上眼鏡掩飾眼淚，過著上班族的生活。但即使外表妥協，你也不能阻止我在心裡繼續哭。」這是 Kila 成長的掙扎。

Starry Starry Night 是第三代小明的名字，不再站得直直，他拿著一個打了交叉的布袋在趕路，頭部可以一百八十度向後轉，雙眼沒有望著天空，反而是緊閉著。「那時我經常工作至夜深，事情也不太順利，感到很挫敗。在回家的路途上，突然覺得自己很可憐。我就想起梵高可以在很黑暗的環境中創作，他在瘋人院畫了《星夜》（*The Starry Night*）。我覺得，或許在一個很絕望的狀態之下，抬頭就可以找到屬於自己的 Starry Night，合上眼才能看到星星。」那個打了交叉的布袋，盛載著挫折和失望。說到這裡，你也會感到 Kila 不只有「哈哈哈」的一面。

在這些立體小明出現之前，他們都先出現在畫布上。Kila 大學時，讀應用媒體藝術，畢業後從事平面設計工作兩年，由於不想浪費時間跟上司和客戶糾纏，便辭職開始 freelance 工作。開始時主要做設計，加入香港插畫師協會後，便多接繪畫工作。「設計是別人看過你的履歷，對你有信心就

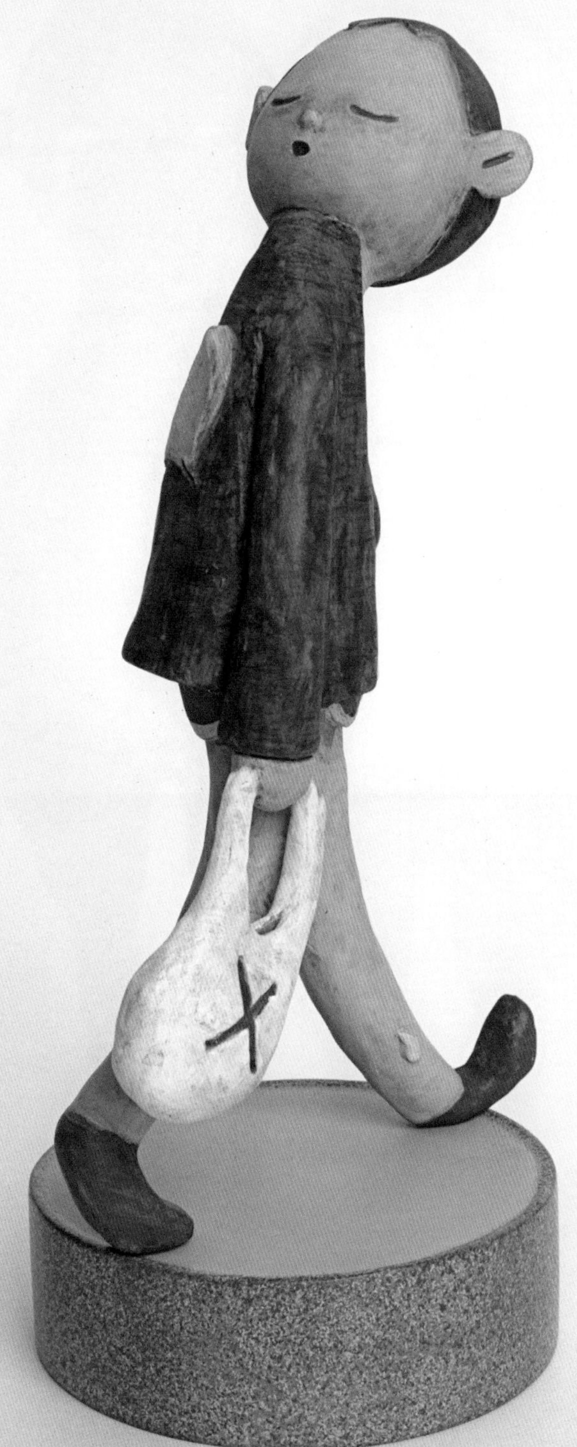

Starry Starry Night 版小明，在追夢的過程中曾感到挫敗，但在抬頭閉上眼的一刻，就能發現自己的星空。

身穿運動裝的小明，臉上有大大滴淚／汗水。全黑版本是 Kila 送給師傅 Kenny 的禮物，全宇宙限量一枚。

在街角踩滑板跌傷，鼻血都流出來的男孩，應該是 Kila 日常生活的寫照。

找你做，你給他意見他未必會聽，他想要甚麼你就做甚麼。但畫畫就不同，插畫是他喜歡你的作品才找你，變相他給予你相對大的空間，更加像是做自己的東西。」二〇一二年，Kila 隨意畫了一張幾個運動員在拉筋壓腿的畫，其中一個便成為了後來的小明。把小明變成雕塑的機遇，是他認識了 Kenny Wong——那位他常常掛在口邊的師傅。「那時我有一位相熟的插畫師朋友受玩具廠牌邀請，合作推出藝術玩具，我一方面很羨慕，一方面不甘心，便自己用油泥雕刻小明。之後，就請教 Kenny 要怎樣倒模。」結果，Kenny 不只教他倒模，還主動提出收他做徒弟。之後，Kila 把完成的立體小明放上 Facebook，更受到 How2work 負責人 Howard 的青睞。終於他們合作推出了身穿運動套裝的 Polystone 小明，限量六十件。

對 Kila 來說，用畫筆來表達小明是隨意和率性的，可以像兒童畫般，把小明畫得不符合人體結構和比例。把平面的小明變成立體的小明，即是把

小明把 Kila 的藝術帶進玩具展中。二〇一四年他受邀在台北玩具店 Paradise 展覽時，推出限量版「善良人」。

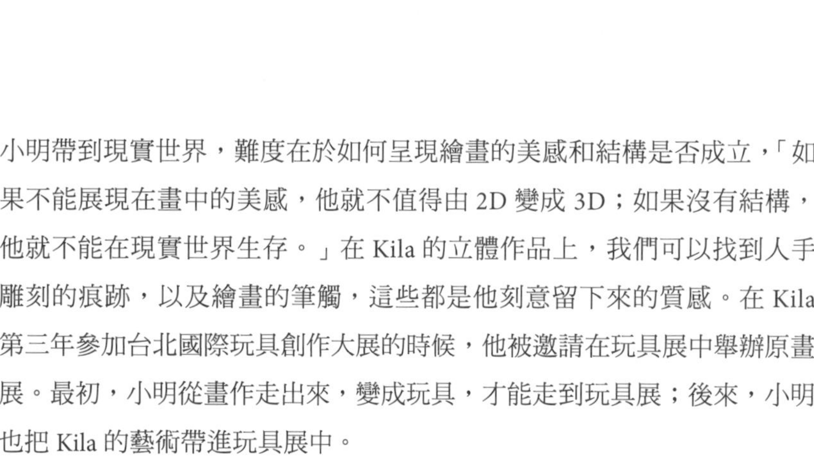

小明帶到現實世界，難度在於如何呈現繪畫的美感和結構是否成立，「如果不能展現在畫中的美感，他就不值得由 2D 變成 3D；如果沒有結構，他就不能在現實世界生存。」在 Kila 的立體作品上，我們可以找到人手雕刻的痕跡，以及繪畫的筆觸，這些都是他刻意留下來的質感。在 Kila 第三年參加台北國際玩具創作大展的時候，他被邀請在玩具展中舉辦原畫展。最初，小明從畫作走出來，變成玩具，才能走到玩具展；後來，小明也把 Kila 的藝術帶進玩具展中。

二〇一六年，Kila 參加香港設計中心舉辦的香港青年設計才俊獎時，向評審介紹香港的藝術玩具，「香港是藝術玩具的發源地，在世界各地也有影

Kila 於台灣陶華灼藝廊舉行的繪畫與雕塑作品展覽。

響力，但大會沒有藝術玩具領域的評審，我初時擔心他們不太接受。不過，當我介紹了香港的藝術玩具，一些評審便跟我說這些作品很好。」他笑說，其實做藝術玩具是賺不到錢的，「我喜歡做雕塑創作，又喜歡藝術玩具，當然要大力推動這個行業，讓全宇宙的人也欣賞，哈哈哈！」二〇一七年，Kila 得到政府資助，到日本學習木雕，希望能從傳統藝術中得到啟發。

左：Kila 在日本研修時，因為想念家人，創作了「家」系列木雕作品。這一件檜木作品叫「Taste of Home」，他雕刻了番茄、牛油果和雞蛋，都是家裡的她常煮的食物。把它們組合在一起，又像讓牛頓發現引力的蘋果、星球和地心。Kila 覺得宇宙的誕生很神奇，家的味道也很奇妙，假如失去了，可能這一生再也品嚐不到。
右：這張相片攝於 Kila 在日本居住的宿舍天台。

擁有不確定性讓人探索

藝術玩具訪談

藝術玩具是甚麼？它與傳統玩具、藝術品有分別嗎？

每個人對藝術玩具的看法、定義都不同，與藝術的爭議是一樣的。將藝術玩具拆開，它有藝術性，有一種不確定性、一個很大的空間去讓你探索發展；另一面是玩具，它保留了玩具的特性，容易讓大眾接觸到，很多人可以與它建立親密的關係，是可以玩可以聊天可以有共同回憶的。而且它也有很明確的商業價值，不像藝術品般「脫俗」，是明碼實價，一般人能夠買得起的。現在我亦慢慢喜歡上它的不確定性，以及與藝術品之間模糊的界線，界線太明確的話，反而會讓有些人無法參與其中。

你覺得自己的作品是藝術品嗎？

我覺得是。我未必覺得自己是藝術家，但我想我是以藝術創作的方向去做。普通人會覺得作品要放在博物館或者巴塞爾藝術展（Art Basel），價格高，有收藏家垂青才是藝術品。但我的看法不同，沒有理由我的作品沒有畫廊替我展出，或者賣得比較便宜就不被認為是藝術品。我會覺得自己的作品都是藝術品，只不過收藏的人比較年輕，而且負擔能力不高，而我放在玩具展售賣，是因為找不到畫廊售賣，但我做的時候，心態都是以做藝術的心態去做。沒理由因為普遍的人不太理解，而令到我的價值觀改變。

我們的思維要擴闊一些，印象派一開始都是被取笑的，因為它與當年主流的藝術派

Kila 在二〇一七年六月進行了為期一個月的藝術計劃「Twinkle Twinkle Little Guys」，把畫了不同人物的道路警示燈放在街頭上，讓藝術品跟更多人接觸。

系不同。也許有一天現在的流行音樂將來也會變成古典音樂，如果你覺得沒有機會成為藝術品的話，就一定不會有機會。而這是需要時間慢慢發展的。

藝術玩具對社會有甚麼好處？

從創作人的角度看，藝術玩具的創作圈容納了很多有能力有才華有天份的創作人，但他們未必能進入傳統的藝術院校，因而無法踏入傳統的藝術圈子，藝術玩具給予他們這樣的機會：不看重你的背景，也不注重你是否擁有某間藝術院校的文憑，大眾覺得你的作品漂亮就會有人購買，讓你可以做一些自己的創作及藝術，也算是繼續前進的踏腳石。

藝術玩具要發展還需要甚麼？

希望政府能夠意識到這個行業能夠代表香港的文化，香港是藝術玩具其中一個很重要的發源地，我覺得這個行業的人都很叻，能夠找到自己生存的方法，不是要求政府要給錢才能生存，但政府起碼要認識到我們的存在，然後推廣這件事。

另外，我覺得現在也欠缺大眾的肯定，如果大家能夠在學術或者文化層面肯定這件事是有價值的，得到社會的認同，這件事就能夠在不同的地方出現。其實商業層面一早就被肯定了，因為的確有很多人收藏及購買藝術玩具。或許我們亦需要一個新的具標誌性、有強烈意識（「我做的是藝術玩具！」）的創作人走出來，讓一些人去追隨，從而形成一個更具意識的流派。

為角色撰寫故事

由 George Chu 於二〇一四年成立，主打十二吋 Action Figure，深信產品的故事性及人物角色才是吸引玩家的關鍵。作品包括 War of Order、B.O.D 九龍戰道、海虎等。

Facebook · Devil Toys

Instagram · deviltoysltd / Website · deviltoys.com.hk

DEVIL TOYS

海虎 DEVIL TOYS/ 1/6 ACTION FIGURE/ 2015

「玩具就是要好玩！」George 疾呼，「我從來不介意別人炒賣，但我希望大家最低限度拆盒玩過，如果你玩過覺得不好玩，是我們的責任，我們做玩具都希望你會拿上手玩。每件玩具都花了很多心血去做，怎樣找到資金生產、如何跟其他人合作、整個製作過程，沒有一項是輕易的。有人說過，你怎樣知道自己有多喜歡變形金剛？就是你會拿它變形幾多次。」George 本身就是變形金剛迷，小時候轉看到電視播放《變形金剛》，總愛扭計要父母買玩具；後來，大家都轉玩遊戲機了，他仍然鍾愛實體玩具，總想著要做自己的十二吋 Action Figure。

「最開始是受鐵人兄弟影響，而接觸到十二吋 Action Figure；後來，就沉迷 threeA 的 Figure。threeA 的成功讓我看到它那種比較易做的模式，即轉顏色、換配件，大家都會接受。另外，自己喜歡的科幻軍事 Figure 還未有人做，而 threeA 只偶爾出一隻。我相信大家會比較喜歡角色背後是有故事的，於是我就在二〇一四年成立了 Devil Toys。」George 特地為 War of Order 及 B.O.D 九龍戰道兩個產品系列設立了一個網誌撰寫故事連載，他認為，故事甚至比角色外表重要，所有創作都應該要有故事，角色要有人物性格，「為甚麼那個角色會有性格？就是因為它曾經發生了一些事，它的故事才是吸引玩家或讀者的元素；即使你做得很有型，但你我之間互不認識，變相好像只是想展現畫藝多於讓人認識角色。」

War of Order 講述二〇四七年第三次世界大戰，B.O.D 九龍戰道是關於香港黑道戰團。大概由於家族的製衣生意，George 比較著重角色的時裝設

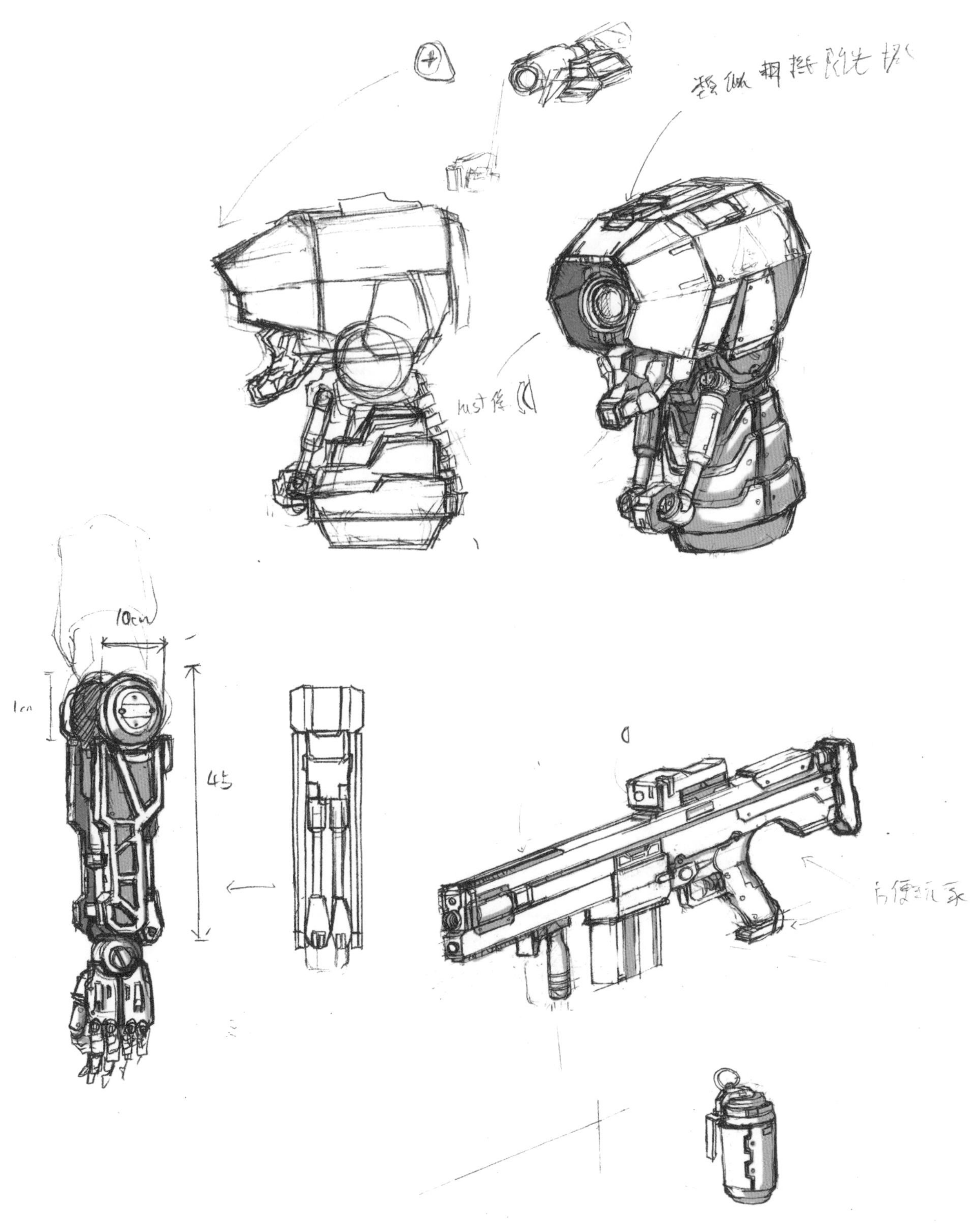

George 手稿展示了他對產品細節的執著。

War of Order 中的 The Secret Master。

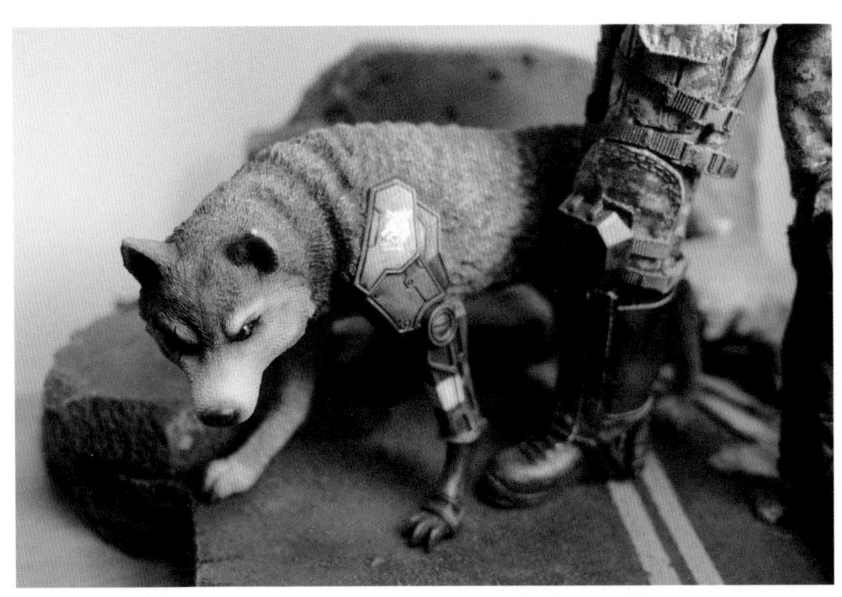

就連配角也很搶戲！

計，衣服會比一般 Figure 有型，甚至會以紋身為主題，加入配件如紋身槍、紋身筆，而香港黑社會主題也很受外國歡迎，都是市場上欠缺的產品，他解釋：「市面上的 Figure 來來去去都是穿著那幾套衣服，我就想可不可以做一些新的東西？通常主廠出了一個角色，副廠就會製造戲中出現過的衣服配件，但他們不會生產現時比較流行的時裝款式。當時我會想，為甚麼想玩的東西市場上沒有？現在就會知道其實都幾難做（笑）。」心動不如行動，雖然不知道會否大賣，George 還是膽粗粗實行了。

另一個海虎系列，也是 George 多年來的夢想。《海虎》是香港九十年代初期由溫日良主編、鄧志輝繪畫的漫畫，共有三部曲，每部四十八期。George 笑言，對他來說，《海虎》就如基督徒的聖經，在成立 Devil Toys 之前，他已經誓神劈願有朝一日有錢一定要為這套漫畫做 Figure，「真的是因為自己非常非常喜歡，小時候看完這部漫畫，對我的衝擊很大，它教曉我不少人生道理。《海虎》在香港漫畫黃金時期佔有很重要的位置，它最難得的是，漫畫公司為了故事完整性，極受歡迎的主角也是該死就死，絕不拖拉劇情。成立 Devil Toys 以後，George 覺得各樣條件成熟了，是時候談版權。雖然現時十二吋 Action Figure 的市道很差，但我要完成香港人的夢想：《天下》有出 Figure，《中華英雄》有 Figure，但《海虎》沒有！我覺得這是不能接受的。」

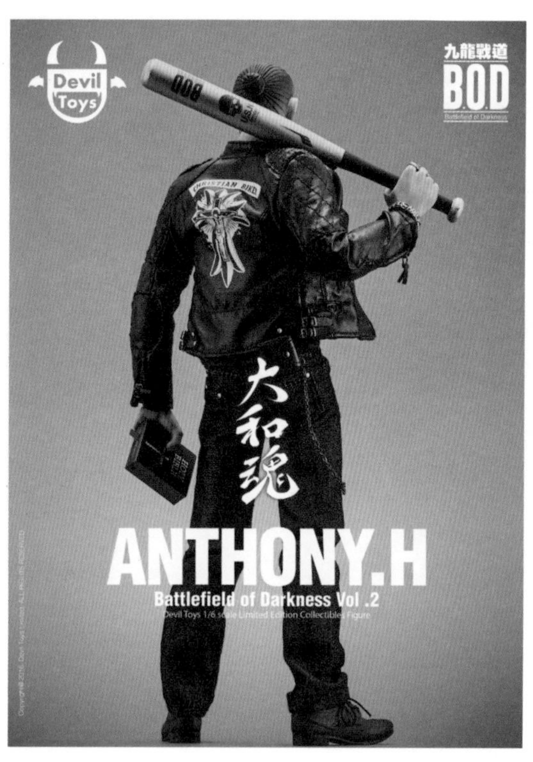

George 認為以香港黑社會作為題材的十二吋 Action Figure 於市場上較稀缺。

George 希望 Figure 的衣服更有型，在身體上甚至會加入紋身。

有 Fans 投訴主角白軍浪的胸肌不夠大，George 竟放棄了整套模具，計算後蝕了四五萬元，但正所謂「過得人，拜得神」，既然過不了自己，就寧願砍掉重練。「Fans 那麼肉緊，是因為他們知道 Ironman 可以有版本一二三四，但《海虎》不會有這樣的機會。推倒重來不是我們特別執著，而是自從 Hot Toys 提升了技術，整個業界就好像走快了十年，大家都要鬥質素，你的產品質素不高，怎能在業界生存？」另一個 Fans 執著的地方，是面型。香港漫畫著重氣勢及畫面構圖多於細緻度，主角甚或出現左右臉不對稱的情況，在雕頭時，也要花費一番功夫。「做這類型 Figure，第一，要跟原作者有緊密的溝通，要知道他最重視的部份；第二，就是你要熟悉角色，入行後才知道為甚麼有些 Figure 做不好，因為製作的那個人根本不玩玩具、不了解角色，變相角色的特色就被忽略了。而有些東西，是角色外形以外的。」

同行的小型公司，多數有其他業務去支撐玩具生產，但 George 全力投身做玩具，累得要死，但看到樣板出世的那一刻，拿上手扭一扭就很開心，「如果連這樣的心情都沒有的話，就不如不做了。」

George 於二〇一五年開了 War of Order 生產線，反應非常好；近期十二吋 Action Figure 熱潮回落，搪膠玩具再度興起，他坦言會因應熱潮或會轉做其他尺寸，甚至搪膠玩具。「搪膠玩具的興起有幾個因素，第一，授權產品熱潮的完結，二〇一五年 ToySoul 二樓展場滿是授權產品，其實已經能夠預見，大眾對於授權產品都生厭了；第二，是經濟不好，玩家都開始尋找一些比較便宜、簡單的玩具；第三，搪膠玩具的製作成本比起十二吋 Action Figure 低很多，變相令到很多人都可以嘗試做玩具，出現了一個百花齊放的熱潮及風氣。但這股熱潮，近來都見到樽頸位，或許會流行多一兩年，因為已開始見到歷年的問題——貨多得氾濫，市場終有飽和的一天。但搪膠熱潮完了，不代表藝術玩具會完結。」

「我想說一個很大的課題，現時內地技術愈來愈成熟，版權意識亦在進步中，更加朝向創意的方向發展，資金又接近無限。以前香港那麼興旺，是因為大家都要經過香港去內地生產，香港作為中介人控制質素，但內地已經很輕易就取代了香港以往的角色，內地公司直接在內地市場推廣，總好過香港公司找代理去推廣，令到香港的優勢消失了。不過，香港可以發揮自己的協調、監督生產的角色，你給我一個意念，我就要告訴你這個意念怎樣，生產方面有甚麼需要考慮，現時市場的情況又是怎樣，怎樣做整件事情的效果才會比較好。這個角色很重要，甚至比玩具原作更重要。」

不要用價格來衡量

藝術玩具訪談

藝術玩具是甚麼？它與傳統玩具、藝術品有分別嗎？

要定義藝術玩具首先就要定義藝術，我以前讀設計的時候，只有一個方法去定義：有沒有客戶需要迎合。你可能會有目的，但你自身的慾望是大於目的，你沒有一個客戶需要迎合，可以自由發揮，任由其他人看到甚麼就是甚麼，這就是藝術。你做了一件作品，他用了幾多錢買、值幾多錢，也不可以用來定義它是不是藝術品，因為它的價格已經經過炒賣及許多中間操作。就算它賣不出去，它也是一件藝術品。我比較浪漫地說，它的價值就在於你是否能夠做到你想做的事情，能不能做到你心目中的美，反而不要太在意賣幾多錢。藝術玩具可以是藝術品，但同樣地，它的價值也可以是無形的，人最終也是要去到精神層面，它滿足到你就是幸福，對我來說已經有價值。

但藝術玩具不應該與普通玩具有分別。人類腦袋結構是以分類去劃分世界，為了方便記憶，但劃分有甚麼好處壞處？我玩藝術玩具，難道我就不會玩十二吋 Action Figure？其實好玩就會玩，不會理會是傳統玩具或是藝術玩具。

George 最注重故事及角色設定，這兩點是故事的靈魂。

George 認為玩具不應劃分界限，好玩到會令人拿上手把玩一番就已經足夠。

政府可扮演怎樣的角色？

我覺得政府是不需要有角色。我喜歡畫畫，難道我要說為甚麼政府不支持我？難度政府要買水彩及畫紙給我？我不是太喜歡現在的人這麼說。我會理解可能有些人覺得沒有錢，但又想全力做創作，所以就需要政府的資助。我自己是為了實現夢想，才要開公司的，從一盤生意的角度看，融資也是一種技巧。即使是初創公司，你也可以向外界尋求融資支持你起步，我接觸到的玩具不是那麼貴的，即使你要做十二吋 Action Figure，你可以去買 G.I. Joe 的 Body，去深水埗買材料自己學裁縫、雕頭，我都是這樣開始的，最初我都是自己用油泥學雕頭，會花費多少錢？你真的喜歡一件事，就會盡力找方法去做，更加可以透過眾籌的方法籌集資金。如果這些你都沒有思考過，我覺得你未有資格去做這一行。而再坦白一點說，政府也不懂得怎樣去做。

場地當然也是一個很大的問題，但我覺得玩具已經比其他界別好得多，例如踩單車

一件玩具的製作需要不同崗位的人才配合。

真的需要一條跑道。當然我必須要承認有一些事情我們自己真的做不到，但我覺得玩具還未去到沒有人幫忙就做不到的程度。其實這個行業在馬來西亞、新加坡等地都沒有政府支持，韓國有政府支持，但你覺得韓國與香港哪邊的玩具業比較強勁？當然是香港啦。而且現時網絡宣傳平台已經很發達，成本也低，市場推廣已經比以前容易做了。

總括而言，第一，真的不用政府支持；第二，就算政府要做也不見得有效。

藝術玩具要發展還需要甚麼？

這個你問對了。我開始做的時候，其實有幾個難題。第一個難題是，我想找人畫封面，但就發現沒有這些渠道，找不到合適的人或者他的收費很高。像這個盒子的封面，我是找泰國的一間工作室畫的，那個插畫家在美國修讀 Concept Art，真的要讀過相關課程才能夠畫出這類型的插畫，但香港很少這樣的人才。香港的玩具業發展很興旺，但相關的配套很薄弱，玩具行業即使有人懂得畫畫，但是否能夠幫助玩具業？在香港要做一件玩具，需要有很多不同的崗位配合；尤其是創作，你要懂得畫畫，監修也要對 3D 有一定程度的認識。這些都跟政府無關，有一些工種是真的欠缺了。

其他地方的市場怎樣？

台灣、新加坡、泰國及韓國都比較喜歡可愛的角色。泰國十年前就已經有政府政策推動設計發展，很多設計師出外留學後，再回到泰國教書。其實他們的市場已經很成熟，香港人玩甚麼他們也玩甚麼，亦有很多人進入遊戲、設計行業，下一個就是玩具了。因為當你衣食住行做得好，才會去想設計玩具，因為玩具不是必需品，但他們都正在朝向這個方向發展，軟實力如廣告業都很強勁。

韓國正在發展中，非常初步，他們雖然以藝術玩具之名，但實際上很少人玩。他們的技術很好，Coolrain 也有開班授課教出很多學生。但韓國的市場就像香港以前那樣需要時間發展，我想大約要多五至十年時間。我知道韓國首爾 Art Toy Culture 玩具展是有政府資助的。

玩具是一種語言

Facebook · blackseed.figure
Instagram · blackseedkenneth

Black Seed Toys 由香港玩具設計師及造型師 Kenneth（阿蟹）於二〇一二年成立，主要承接玩具手辦設計及開發，並積極開創自家創意玩具。阿蟹曾為 Iron Man、變形金剛等不同玩具品牌，以及著名設計師作幕後手辦開發及擔任製作顧問。

BLACK SEED TOYS

DEMON EMBRYO/
9.4 INCH/
VINYL TOY/2016

在阿蟹工作室的玻璃櫃中，一隻甩皮甩骨、滿身鮮血、眼球快要掉出來的二次創作老鼠 Meki 特別顯眼，恐怖殘忍的背後，是阿蟹對於版權法變質的控訴。話說有一次，他的朋友做了一件原創產品，被一間大公司認為與其產品相似，向他的朋友發出律師信要求更改設計，朋友因為沒有錢打官司而就範，阿蟹對此十分生氣：「我看過設計是不一樣的！為何大公司、有錢人可以跳過法律程序，製造白色恐怖，抹煞了剛起步的設計師的設計？這違反了版權法維護原創的概念，有很多好的設計也因此而胎死腹中。」不過，敢於表達自己也會帶來麻煩，有些原本想與阿蟹合作的人，會覺得他太過踩界而卻步。「我都預計了會有這個情況，但不會退縮，我希望作品能夠表達可愛背後的殘忍真相，而不純粹是一件擺設。」

阿蟹早期的作品以二次創作為主，近期主力發展自己原創的搪膠玩具，由於他受日本特攝片如《哥斯拉》的影響至深，因此偏好創作不同形式的怪獸。阿蟹第一次捧著自己的產品到台北國際玩具創作大展，慘敗而回，讓他改變了日後的產品風格。「我視察了會場，回港後，又讀了一次玩具的歷史發展，了解了整件事的脈絡，才開始理解產品應該怎樣做，如何去創作。我發覺通常有幾點會令到買玩具的人『叮一聲』（意謂「吸引眼球」），例如血腥核突、可愛、性，一看就會有種強烈的感覺。我的產品通常都會從這幾方面去考慮，風格比較多元化，有恐怖的有可愛的，明顯就是走大眾化的市場。」他強調，這套脈絡論來自村上隆的書籍《藝術創業論》，村上隆做藝術創作時，會先理解一件事情的脈絡，以前的藝術歷史及作品也要知道，現在流行的都要知道，再去想怎樣表達自己的想法。

血腥的 Meki 是阿蟹對於扼殺創作人的大公司的控訴。

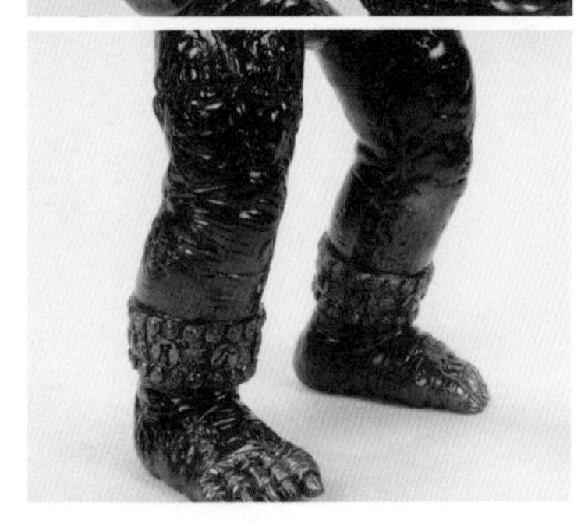

走大眾化不等於沒有自己的想法，阿蟹的作品展現了他思考及創作的過程，「我的作品不是你眼看到的這些東西，而是我的人生，我想去呈現甚麼，想人生包括甚麼，我就不斷放進作品中。」他的其中一件作品「屍童」，被外國玩具網站 SpankyStokes 評為二〇一六年十大最佳搪膠玩具，樣子極恐怖，背後又是另一段控訴：「這件作品的概念其實是關於一個重男輕女的社會，為了祈求豐收，人們會將女嬰藏在一棵樹的底部當活祭品，泥土裡有一條人參長期吸收女嬰的血肉，凝聚了一個新的肉體就會變成屍童。因為長期吸收女嬰血，屍童為了平衡陰陽，就要去吸食男嬰的靈魂。我想說，在一個重男輕女的地方，大家可以為了利益而犧牲另一些人，這種殘暴的行為及思維造就了報應，而報應的象徵就是屍童。」話說他在製作屍童的時候，平放在枱上的屍童，第二日雙腿竟然斷了。筆者望望屍童，心裡發毛。

怕不怕這些很邪的東西沒有人喜歡？「如果他是能夠從藝術層面去理解的人，就不會只看表面，而是會理解作品背後想說甚麼、設計是怎樣或者是根據甚麼脈絡而創作。我覺得我們的作品都是一種語言。」就如語言，作

除了恐怖，Kenneth 也非常喜歡製作可愛類型的玩具。

Kenneth 不怕恐怖作品會嚇人，因他相信有人會願意理解作品背後的訊息。

品其實都是需要被解讀的。

一般玩具創作者，小時候喜歡玩具，長大後買玩具，買玩具都不能滿足後，才開始動手改玩具、賣玩具。小學時期的阿蟹，已經跳過幾步，直接製作玩具，賣給同學。「說家裡窮也不是，只不過我的家庭不願意在物質上滿足小朋友。那時流行四驅車動畫《爆走兄弟 Let's & Go!!》，我就用發泡膠製作了迷你四驅車，拿到學校玩，有同學見到問我可不可以送給他，當然不可以啦！我就收他一兩元，賣幾件就可以買到一枝汽水，那時就覺得自己很富裕，哈哈！」初中開始，阿蟹從二手模型書自學製作原型，後來在網絡及電玩遊戲誌連載原型製作教學，二〇〇八年加入一間公司成為原型製作助理，技術突飛猛進，直至公司再沒有發展空間，他就去了內地工廠工作，摸熟了搪膠玩具的生產。其後 3D 技術興起，Kenneth 又學會了利用 3D 建模和 3D 打印製作玩具。他是行內少數擁有手雕、搪膠及 3D 製作技術的設計師。

掌握了技術，玩法就變得更多。他笑言自己的強項就是做結構性的東

御守龍的結構複雜，是 Kenneth 嘗試突破生產限制的設計。這件作品更得到「The Designer Toy Award 2018 Best Soft Vinyl Winner」獎項。

西，嘗試突破生產上的限制。「我想表現的是，我能做到這個效果，同時亦想稍微脫離市場，不想跟市場上的產品一式一樣，始終不論以生意或設計師的角度，你要競爭都要有優勢，這是我的強項。」本身有做生產的日本設計師大久保博人亦曾找阿蟹生產一隻熊，希望這隻熊能夠做到嘴巴可以上下左右開合，阿蟹替他想到以搪膠生產，而成本不高的做法，可惜最後因工廠生產的質素欠佳，氣泡多之餘，損耗亦超過百分之五十，令到選擇先向工廠付錢後取貨的阿蟹損失了十幾萬元，最後雙方的合作也被迫終

Kenneth 有時也會製作出可愛的公仔，例如錦鯉御貓。

止。這隻熊就是曾為大久保博人進帳了二千萬日圓的 Muckey。「我只是不開心了一晚，然後就跟自己說，搵過吧，不開心其實都是成本。」輸了金錢，但贏得友誼，大久保博人曾在公開場合讚賞他的設計。

現時阿蟹已經減少接別人的訂單，而注重做自己的作品及產品。一來，做自己的產品獲利更高；二來，也免卻中間修改來來回回的時間；此外，多了經銷商替他賣貨，也可以彌補少接訂單的收入。

過往，香港玩具設計師能夠將自己的想法透過生產玩具的方式呈現，除了因為香港有設計人才，很大程度也得力於靠近內地工廠，語言文化

Kenneth 正在努力雕泥做玩具原型！

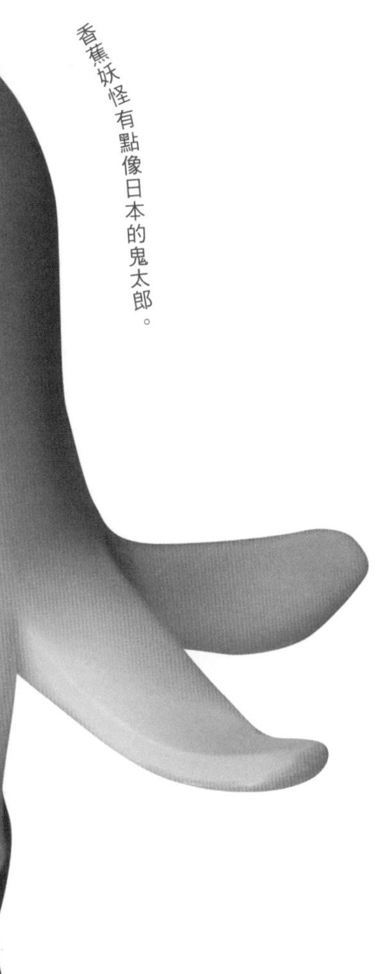

香蕉妖怪有點像日本的鬼太郎。

相近，比起外國擁有生產優勢。近十年，內地藝術玩具的發展愈來愈蓬勃，曾經到內地工作了一段時間的阿蟹，怎樣看內地的發展？「雖然都是山寨 Ironman，但已經不是買了玩具回來以後複製的程度，而是重新再做一個 Ironman，他們的水準非常之高。雖然我覺得他們在 sense 方面仍有進步空間，但因為現時中國內地開放了，他們在互聯網上能吸收更多這方面的知識，美感一直都在提升。」

面對如此「強敵」，香港品牌或設計師的優勢又在哪裡？「我在這裡都想多謝以前做原創藝術玩具的前輩，因為他們當年在國際間掀起了熱潮，今時今日都仍然有外國設計師說是模仿他們當年的風格。我們這些年輕設計師只要標榜自己是香港設計師，別人的感覺就會不一樣。有些玩具設計的獵頭公司，真的會去找香港的玩具設計師。前輩在這方面真是幫了我們很多，為我們開闢了一條路。再加上 threeA、Hot Toys 做到很厲害，別人對於香港玩具創作人的信心是很大的，香港出品就等於是『好嘢』。」阿蟹直言，雖然現時內地生產透明度愈來愈高，但外國品牌都會傾向找香港公司與內地聯繫，因為香港的保密程度高，不用擔心很快就會有翻版，「有些客人會直說正是因為這樣才來找我們的。而且香港進出口沒有稅，也算是優勢。內地的生產質素追上來了，反而是一個很好的幫手，找到合作空間的話，就是一個雙贏的局面。」

以玩具呈現概念

藝術玩具訪談

藝術玩具是甚麼？它與傳統玩具、藝術品有分別嗎？

藝術玩具可以是一件藝術品，我覺得藝術是可以用很多材質去表達的。有人喜歡用畫，有人喜歡做立體裝置，有人喜歡行為藝術，也有人像我們選擇用玩具去呈現藝術概念，因為我們比較擅長做玩具。

傳統玩具只不過是時間上的分別，以前的玩具是一種針對小朋友的娛樂，去到後期生產技術提升了，就變成一種很精緻的精品，不同年齡層的人都會收藏，再到後來普及了，人們更加容易接觸到工廠懂得生產玩具，就將其藝術融入到玩具中。有人說以前的玩具著重功能性，現在的玩具著重觀賞性，我覺得不可以一概而論，這很視乎設計師怎樣做他的作品，因為玩具的功能性太多，有人喜歡擺放，有人喜歡玩，有人喜歡可動的。玩具是甚麼其實很視乎創作人製作的動機。

Kenneth 認為，所有作品都需要被解讀。

怎樣看香港藝術玩具的發展？

為甚麼二〇〇〇年左右會有第一波？因為有些人做了一些別開生面的東西，大家覺得很厲害，就去購買；後來，這變成了一個界別，是因為其後有一班人追隨。近幾年的第二波發展，跟第一波有少許不同，前輩如 Michael Lau、Eric So 真的是做藝術玩具；但第二波，我覺得牽涉了很多未必是藝術玩具的東西，只是外表很可愛，

可愛的玉兔龍擄獲少女歡心。

但大多都不牽涉概念。我覺得這兩個時期興起的熱潮，其實完全是兩回事，上次是因為破格而變成一股潮流，今次就不是了。

藝術玩具發展的阻力是甚麼？

空間與租金。我們這些工業很難在家裡做。現在的租金很貴，而政府對工廈又加強監控，這些都是發展的阻力。

藉玩具將運動融入生活

Ryan Lee 是香港著名健身教練，曾為多位藝人作訓練。二〇〇九年設計 Rumbbell 運動公仔，將運動健身與玩具結合，糾正一般人對健身及飲食的誤解，努力推廣健康、正確的運動方法及飲食習慣。

Facebook · Rumbbell
Instagram · ryanleefitness / Website · rumbbell.com

RYAN LEE

RUMBBELL/ 6.7 INCH/ VINYL TOY/2013

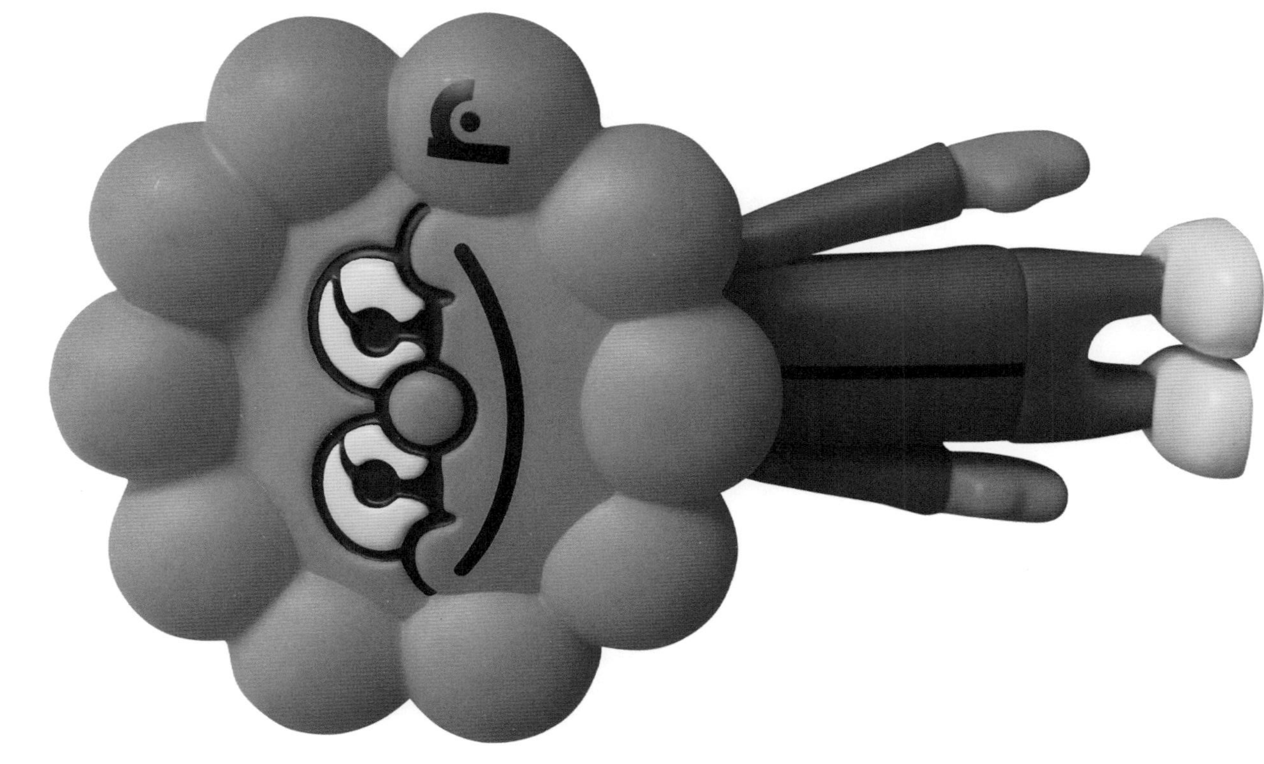

Ryan，明星健身教練，甫進入他位於灣仔的健身室，除看到數個放滿自家出產玩具的玻璃櫃外，還有巨型的 Rumbbell 玻璃纖維擺設、自成一角的玩具收藏，以及巨型的 KAWS 公仔等，讓人有種進入了玩具店的錯覺。二〇〇九年，Ryan 覺得單是儲玩具再也無法滿足，於是便開始親手做立體油泥玩具，學搓泥倒模，把自己的健身事業與興趣結合，開發出 Rumbbell 健身角色及眾多周邊商品，實行建立他的 Rumbbell 健身王國。

Rumbbell 有一個很搶眼的花花頭，原來是由十個不同重量的啞鈴組成，概念是可以隨時拿下來舉重，身形倒是奀奀瘦瘦，跟健碩的 Ryan 相映成趣，他解釋：「如果他有很多肌肉，好像也不太可愛？我想做一些跟傳統不同的健身相關產品，因為傳統健身圈子的那班人是不玩公仔的，Rumbbell 可以開拓女性與小孩的健身市場。」筆者眼利見到放在櫃內的一個紫色玩具啞鈴，以為是搪膠產品，拿上手發現原來也不輕。Ryan 說這啞鈴足兩磅，可以用作擺設之餘，又可以讓不愛做運動的女生閒來舉一舉修線條，以真正做到融入家中。

以前屋邨的年代，小朋友會走到樓下跑跑跳跳，爬高爬低；現在小孩拿著電話就能過上一整天，也不再願意動身子。成人愛美，願意為修身做運動，小孩卻沒如斯動機誘因，若要讓孩子動起來，只能靠遊戲。Ryan 看到朋友幾歲的兒子站姿不佳，盤骨向後拗，變相凸出肚腩影響腰板，於是研發出一套結合玩具、遊戲卡與線上教學影片的「玩・健身」紙牌遊戲套裝，「抽到哪個動作就要做哪個動作，例如掌上壓、蹲腿、練膊頭、修拜

Rumbbell 結構奇特，頭部由啞鈴組成。

原本以為是搪膠玩具，原來也是真正兩磅重的啞鈴，可作擺設之用，也可健身！

Ryan 研發出一套結合玩具、遊戲卡與線上教學影片的「玩 · 健身」紙牌遊戲套裝，吸引小朋友多做運動。

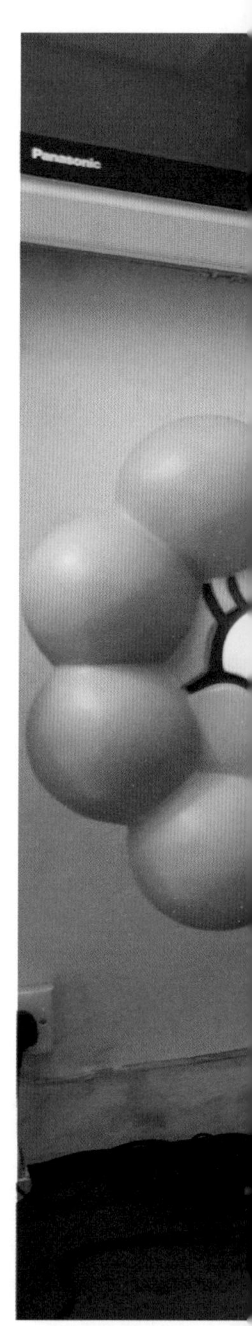

拜肉等，加上公仔一套售賣，有些小朋友真的會很開心地跟著做，幾個成年人聚會時，也可當普通紙牌遊戲玩。」他還拍了一套短片，掃描紙牌中的 QR code 就可以看到 Ryan 親身示範正確姿勢。

對於健身、運動，Ryan 有自己的一套哲學。當初走上健身教練這條路，並不是因為得天獨厚，而是自己過於瘦弱，「中學時，很想自己可以變大隻，踢波時也『夠』其他人撞，於是做掌上壓、舉啞鈴，真的大隻了少許，踢波又可以脫衣展示身形（笑）。十六歲入健身室工作，再唸了幾張教練證書課程。大專電腦學科畢業後，曾經試過做網頁設計師，一年後覺得並不適合自己，再做了一年健身教練後，就轉為自由職業私人健身導師。至今已有十八九年了。」在這些年的指導經驗中，他發展出一套「Muscle Mind」理論，腦袋要跟肌肉溝通，做健身不可偏執，需要不斷摒棄舊有觀念，嘗試運用身體不同的部位，從而悟出訓練特定部位的正確姿勢。他說，健身不是鬥用力，而是你想練習的那塊肌肉是否能夠參與其中。也許正是抱持這種想法，才讓他思考出以玩具來推廣健身的正確知識，以健身的角度去發展 Rumbbell 的世界。

Ryan 的宣傳攻勢可是筆者見過中最厲害的：他可以動員明星學生如張繼

店內放滿巨型 Rumbbell 公仔，健身房猶如玩具店。

Makalele 及 Fat Dragon 的誕生！

聰、林海峰在公開場合穿上自家 Rumbbell T 恤；更誇張的是，他能邀請數十位藝人、玩具創作人為 Rumbbell 及 Fat Dragon 進行改裝，並在二〇一六年 ToySoul 中舉辦了一個小型展覽，只展不賣。「二〇一四年在 Art Toy Culture 中認識了 Sticky Monster Lab，就邀請了對方幫我畫，後來陸續在不同的展覽中也見到他們，慢慢就熟絡了。其實設計師與設計師之間都很簡單，我跟他們說改裝完我是不賣的，只會做展覽推廣給香港人認識。而經過這樣的 crossover 合作，就能將兩個領域的 Fans 結合。」

二〇一四年，Ryan 參加台北國際玩具創作大展時，華研國際音樂看中了 Rumbbell 的可愛造型，主動邀請 Ryan 加入成為旗下藝人。但唱片公司與玩具有甚麼關係？難道 Rumbbell 也要唱歌跳舞嗎？原來這跟台灣的風氣有關。Ryan 解釋：「因為台灣的文創事業很興旺，即使是唱片公司也會簽一些文創藝人，例如彎彎、森田、爽爽貓及馬來貘，他們是跟我同一個部

Ryan 邀請不同明星藝人、創作人為 Fat Dragon 改裝作展覽用途。

門的藝人。我是新人，需要公司宣傳推廣，替我在台灣找一些合作的廠家或者活動做授權產品。」產品以運動健康這個大眾熟悉又正面的主題為主打，定位獨特之餘，最大的好處是男女老幼都適合、明白，而且市場需要。大抵華研正是看中了這個特點，而簽了 Ryan 這位唯一的香港設計師。

現時 Ryan 台灣及香港兩邊走，也讓他感受到兩地大眾對其產品態度的分別，例如台灣人比較喜歡聽故事，很多香港設計師都喜歡到台灣發展；香港人則比較看重表面，會看產品是否曾經有藝人用過，比較看名牌效應跟著潮流走。「我覺得台灣 Fans 比較忠心，如果他喜歡你，他會繼續買你的產品，即使他第一年未必會買，但第二年他仍然見到你，就會想去了解你的產品，然後慢慢成為你的 Fans，就算他與你不是太熟絡，都會跟你聊天。在香港大家要熟絡了才會說話，若你想主動跟他談談你的作品，他會

上：Rumbbell 也曾出戰韓國 Art Toy Culture ！
下：設計師間 crossover 的作品於二〇一六年 ToySoul 中展出。

要手擰頭走人。」

有大公司幫忙在台灣做宣傳及推廣，在香港也有一眾明星朋友支持，報章雜誌也喜愛報導這位星級教練，Ryan 甚至有自己的專欄，算是比較幸運的一人，要宣傳 Rumbbell 理應不算困難？「要令更多人知道 Rumbbell，雖然比起其他人相對容易，但我仍然覺得很困難，因為會玩這類型玩具的人仍屬少數，可能來來去去都只有幾百人。雖然現在有 Facebook、論壇，

你可以將自己的產品放上去，但能夠接觸到的人很少，即使他知道了，要他付錢買也不是一件容易的事。」人數少，正因為這不是一件迎合市場、追趕潮流的產品，「我們要做我們喜歡的東西，不是你喜歡的東西。若果要大賣，最即食就是將別人的角色改裝，但如果要賣一隻你完全由零開始創作的東西，你就要一步一步行出來。我做那麼多周邊產品，也是希望能夠令到我後面的力量更加鞏固，因為我是做一個品牌，不只是賣玩具，而會有其他授權產品去支撐。就舉一個例子，就算 Hello Kitty 某一類產品賣不出去，它也不會消失，因為它還有其他產品支撐。」

或者我們應該要了解到，Ryan 口中所說的「宣傳」，其實不是以炒賣限量版來製造話題的那種，而是真正要讓大家接受他的產品，接收到他透過產品宣揚的訊息，甚至連平時沒有買玩具的人都會喜歡他的產品。正因為如此，Ryan 直言其產品數量不會太少，除非玩具店要求某一個款，或者做特別版，但主角永遠不會斷貨。「要好賣其實很容易，每一隻都出限量版，然後轉個頭就跟你說賣完了，就可以製造人氣。而正因為你採取了這個策略，有一班人看中了你的產品去炒賣，變相一出就賣完，但真相是數量根本不多，你推出三十隻、五十隻，賣完了，可能就只有一百人喜歡你的產品。但如果那一百人都不玩了怎辦？或者其中一些炒家放了，然後個個都放，變相你馬上就跌到谷底。人數太少了。我希望我推出幾千隻，一樣有人會炒，那麼喜歡我的產品的人數真的很多，就不用擔心明天會不會沒有人買了。」

撇除商業的心血結晶

藝術玩具訪談

你覺得藝術玩具是甚麼？它與傳統玩具、藝術品有分別嗎？

我沒有太刻意去劃分自己的東西，不要說藝術玩具，藝術品也很難去定義，影響的因素太多。我到韓國的 Art Toy Culture 參展時，都會叫自己的產品為藝術玩具。但我做玩具，不會一開始就想要做一件藝術玩具，只是抱著跟你分享的心態。我覺得設計師或者藝術家在開始時，都只是想做一件能夠表達自己想法的作品，你會覺得是藝術品，可能是因為那件作品擺放在畫廊，或者受到某部份人追捧，營造了一個氛圍，令你覺得它是藝術品。例如 KAWS 開始時都是出玩具的，經過蘇富比這個平台而變成了藝術品。

Ryan 自創一套「Muscle Mind」肌肉鍛煉法，強調大腦與肌肉溝通的重要性。

我這樣想，不必要其他人認同，每一件作品你都可以當成是玩具或者藝術品，因為每件作品都有自己的形態、概念。對我來說，玩具就是玩具，會拿來玩的，跌在地上都不會心痛。我和其他創作者 crossover

Ryan 本身是玩具迷，收藏的玩具不少，尤其是杯緣子。

的作品，真的會捨不得弄花，在我心目中，它們的價值比我自己的還要高，不是因為金錢，而是因為別人付出了心血，讓我覺得它是藝術品。我想如果是以這個心意去做這件作品，它就是藝術玩具吧。但如果我知道他做這件作品只是為了賺錢，就只是一個商業決定，我就覺得不是那麼藝術了。在我心目中，藝術品就是撇除了商業操作，可以從藝術的角度去看。如果撇除金錢上的考慮，我覺得每一件玩具都可以是藝術品。

藝術玩具要發展還需要甚麼？

我想是需要更多地方或者機會去擺放我們的作品，展示也好，售賣也好。老實說，現在這個市場不大，設計師的產品要能銷售，就需要有更多好的地方去售賣，如果政府能提供優惠租金而地理位置不俗的實體店，或免費的市集、攤位，就能讓更多人知道香港有這班設計師。當然旺角還是有玩具店的，但只有這個圈子內的人才會去逛，其實政府也可以善用公眾地方，例如公園去介紹設計師的作品。

其他更實際的方法，例如我們做展覽會有資助，不論在外國，還是本地。就算在香港有有心人舉辦 ToySoul，但因為 ToySoul 沒有得到資助，變相我們的攤位租金也不會便宜，可能幾屆過後，就不能再舉辦了。如果政府能夠資助這些玩具展，變相就能資助我們做展覽。

過往，大型商場只會用外國的角色做宣傳推廣，但大家可能看悶了；近年，商場嘗試較多採用香港的原創角色去做，希望能有耳目一新的視覺刺激吸引消費者。他們肯用，我們才有機會，雖然不能說一定會成功，但起碼不再是「香港的一定不要」，若果產品能賣，設計師就能養活自己，不需要資助。

以插畫反攻玩具市場

Facebook · Miloza 米路沙

Instagram · milozama

插畫師及玩具設計師，希望透過插畫讓更多人認識她的玩具作品。作品中帶有宇宙的神秘色彩，深信只要專心去做自己想做的事情，整個宇宙都會來配合。

MILOZA MA

RIBBON LADY/
8 INCH/ POLYSTONE/
2015

「米路沙（Miloza），是我亂改的名字，希望別人搜尋我的名字時，第一個就可以找到我。」她有點尷尬地笑了。真的，第一個就找到了，而且就只有這一個。

Miloza 修讀平面設計系畢業後，先後於兩間卡通人物版權公司工作，她需要為毛公仔及 Polystone 產品繪製草圖，慢慢在工作中摸索創作玩具的路。「當年放工後，會逛旺角的玩具店，印象中兆萬、信和的玩具店開始愈來愈多設計師玩具，那時很流行要抽的盒裝玩具，某程度上自己也被感染了，覺得玩具設計師這個行業也很有趣。後來發現，外國的插畫師也會出玩具，所以自己也想從這個方向去做。」

二〇〇九年，Miloza 把她的插畫作品上載到個人博客，一間在內地設有廠房的香港公司 KEO 負責人很喜歡她的作品，雙方商談半年後，就在二〇一〇年推出了八吋搪膠玩具 Brain Child。「Brain Child 是一個機械人，腦汁司令 Master Mind 插進去之後，就可以控制它；但去到最後，機械人自己也會有思想，然後雙方會聊天。Brain Child 某程度是反映自己的，我小時候不太喜歡說話，別人會覺得我是一個很 cool 的人，而我覺得自己不是太聰明，所以也做了一個腦袋。」二〇一〇年，Miloza 就帶著 Brain Child 出戰台北國際玩具創作大展。

她坦言，當時對於做玩具及品牌未有太多想法，風格上未定型，又不懂得怎樣宣傳。KEO 的負責人成為了她的導師，讓她在玩具創作之路邁進

Miloza 手稿：第一件玩具 Brain Child 誕生！

Brain Child 的大腦司令 Master Mind。

了一大步，「其實我在某程度上都受他影響，他教了我很多生產玩具的知識。他十四歲就開始學手雕油泥，三十多歲就已經有內地師傅的功力，所以我也想模仿他，便開始動手做油泥公仔。我覺得要做一個玩具設計師，不應該只懂得畫平面圖，然後交給工廠生產，自己應該至少也懂得從零開始做出一件立體作品，才叫玩具設計師。我花了數年時間摸索，學習雕泥打好基本功。」

之後幾年，Miloza 都有參加台北國際玩具創作大展，但始終未能令人留下深刻印象。二〇一三年 Miloza 辭職專心發展個人的插畫事業，那年她立定決心要以插畫令大家將焦點放在她身上。二〇一五年，她只將自己的

Miloza 坦言，Brain Child 是自己與自己對話的寫照。

插畫作品帶到台北國際玩具創作大展，竟然有人問她是不是第一次來參展。「為甚麼會出現這個情況？其實是因為展覽中有太多玩具，當你寂寂無名的時候，要在幾百件玩具中突圍而出，其實也不是那麼容易。但在展覽內，做插畫的攤位其實只有十多個，比較容易受人注目，見到大家反應 OK，於是就計劃出第二隻公仔。」二〇一五年她就做了第二隻 Polystone 玩具 Ribbon Lady。

Ribbon Lady 其實是插畫的延伸，Miloza 將自己的畫風延伸至立體的玩具。Miloza 的插畫，線條彎彎曲曲，色彩豐富得超現實，人物水汪汪的大眼睛，總帶著一種迷幻的感覺，而畫中偶爾會出現外星人、佛陀、亞當和

玩具是 Miloza 插畫的延伸，很多 Fans 因為喜歡她的插畫而買她的玩具。

夏娃等人物，原來這跟她相信 New Age 理論有關，「New Age 說的是外星人外太空，顛覆了人類思維邏輯，在創作中可以更加天馬行空；而且自己沒有宗教背景，就可以更開明。每畫一幅畫都有不同的思考，意念每刻都在變，但就一定離不開神奇古怪或者內心自我的東西。」

這些年多了人因為喜歡 Miloza 的插畫，而反過來買她的玩具，令她更確信當初以插畫反攻玩具市場的決定是正確的。「我發現我的插畫比較容

Miloza 的畫作靈感來自 New Age 理論，探索宇宙與自我內心的關係。

易吸引目光，現在目標是想先出 zine 或者個人作品集，以吸納 Fans。因為 Fans 是支持設計師，而不是單純地喜歡那件玩具。玩具是很個人的事，喜歡這隻公仔就會喜歡，你有知名度就更吸引人去買；若你沒有知名度，純粹只靠玩具去吸引人注意是很困難的。」以前她會以畫插畫作媒介去接工作，但現在的心態更像是打造自己的品牌，重奪主導權。「所以下年我會計劃出更多公仔，與其去想為甚麼今個月沒有工作，倒不如主動去將其變成一門生意。」

Philosophy of heart

White Lady & Ribbon Lady

Miloza 作品充滿少女味，也帶點神怪。

外型甚討好的 Miloza，直言外表也是宣傳的加分項目，「以前很不喜歡別人將注意力放在我的外表，而不是作品上；但現在覺得這其實亦是一個重要的因素，因為你是在推銷整個個人組合，設計師的魅力也是其中一環，令到其他人更容易接受你的作品。即使是 Michael Lau，他走出來就是一個潮人；Eric So 外型比較標青，也能夠帶動整件事情。若有一天，大眾都不用再看你的畫作，你站出來其他人都認識你，其實就成功打造了一個品牌。」

Miloza 希望推出更多玩具，訂立個人風格，為個人打造品牌。

傳統紙媒曾經是強而有力的宣傳機器，但紙媒沒落，社交媒體崛起，許多創作人都是主要依靠社交媒體宣傳自己的作品，Miloza 認為網絡雖然方便，但宣傳變得更加複雜艱難，「因為資訊太多了，你要每天很努力去做宣傳，才可以分點甜頭。現時有些創作人，當政治議題比較火熱時，就會轉向政治主題，純粹為了受注目，並沒有想過自己是否真的喜歡。我覺得很快就會爆煲，你的風格、定位太散，就會失去 Fans。我覺得先要釐訂自己的風格，不要被世界牽著走，要去想自己是否有能力牽著世界，你才會有好的作品。有前輩跟我說，只要一直堅持創作，總會有人看到你的。我現在都是抱著這個想法去創作。」

「只要你專心去做你想做的事情，整個宇宙都會來配合你，所有因素自然會在適當的時候出現去幫助你，就好像是吸引力法則。要成功，首先你的潛意識要覺得是可行的。」Miloza 肯定地說。

收藏藝術品的入門

藝術玩具訪談

藝術玩具是甚麼？它與傳統玩具、藝術品有分別嗎？

傳統玩具的功能性會比較高，玩味性比較強，人們購買十二吋 Action Figure 是因為要換衣服、換頭，可以有不同的配件。藝術玩具的功能性不需要那麼大，比較能夠天馬行空，藝術味比較重。藝術玩具就是藝術家的藝術特質會在作品中展現。例如 Polystone 就可以說是藝術玩具，因為它只可以做一件擺設。但藝術玩具跟藝術品不同，藝術玩具的門檻比較低。藝術品可能會在畫展展覽，要數十萬元才可以收藏，而數量亦只有一件至數件，所以價值才會高。但藝術玩具就不同，限量的可能也有一百件，而且你亦比較容易接觸及收藏。所以藝術玩具是收藏藝術品的入門，我覺得設計師、藝術家與一些公司會合作出玩具，可能價錢上只是數百數千元，但你會覺得收藏他的玩具會好像收藏藝術品一樣，因為他本身就有一個價值。

至於藝術玩具可不可以變成藝術品，要視乎藝術家最終是否能成為一個國際級的藝術家，例如草間彌生。所謂國際級，當然是說商業拍賣的價錢，而且又有具份量的藝評人或組織去評論其作品。為甚麼其他人覺得你的作品有價值，是因為有不同的配套去宣傳你的作品是有價值的，那就會變成大家認識的藝術品。但何謂藝術品，其實是很片面的，你覺得這件是藝術品就是，不是就不是。如果要普通人都覺得是藝術品，就需要去到大型藝術展覽會，要透過畫廊宣傳推廣你的作品，整件事才比較完整。就如在香港很多不是畫畫的人，都會知道誰是奈良美智，其實就已經是非常成功。

藝術玩具要發展還需要甚麼？

需要市場，需要有人做，需要教育。香港是即食文化，甚麼都要快，但藝術是需要時間培養。在香港除了商業因素，根本沒有藝術價值的培養，而這個培養需要不斷

外形亮麗也是個人品牌不可或缺的部份。

推廣做展覽，但創作人沒有錢就沒有辦法租到一個好的場地，就不能好好推廣自己的作品。這需要政府配合提供一個好的場地，讓創作人有機會在一個適合的群體裡曝光，才會有發展空間。

另外，教育也很重要，為甚麼韓國可以在短時間內，讓創意行業走得那麼快？因為韓國政府明白創意是一個很重要的商機，所以政府投放很多資源在創意產業。只要政府向大眾灌輸藝術是有價值的，商人自然就會在藝術方面投資。但香港始終都是投資在商業方面，講求品牌打造，但前提就是要有資金。父母小時候會叫你學畫畫，但長大後就叫你不要唸藝術。但你看，在韓國做創作是可以搵食的，Hot Toys 都是找韓國的頭雕師。創作需要資金及空間，現在是地產霸權主導了整個市場，現在人們只知道賺錢、消費，而忽略其他的價值觀，原來你做自己喜歡的事你就是「廢青」，整個教育文化根本錯了。為甚麼我們做自己覺得有價值的事就是沒有價值？

政府可以做的事，例如讓創作人零租金去租用一個地方，產品賣出的時候就分成。

街頭藝術的實體化

Rainbo，中國湖南出生，現居香港，全職藝術家。從事多元化創作，包括街頭塗鴉、油畫、潮流玩具、雕塑、陶瓷及圖形設計等，擅長角色設定及故事創作。跟另一名伙伴 Uncle 創辦跨地塗鴉組織 Afterworkshop（AWS），透過不同的途徑如街頭創作、玩具推廣街頭文化，消除大眾的誤解。

Facebook · rainbo aws
Instagram · rainbo_aws / Website · rainbo.hk

RAINBO AWS

CATWO/
9.8 INCH/CAST/
2014

踏入 Rainbo 與 Uncle 的工作室，就見到滿滿都是 Rainbo 的陶瓷、雕塑 / 玩具，大大小小排列著，好不熱鬧。

Rainbo 是這樣的一位女子：有一天，她去了一間書店，飲了一杯咖啡，赫然發現杯子很漂亮，一問，原來那個杯子是老闆娘親自到景德鎮做的。Rainbo 大驚，第二天她就買了一張火車票獨自一人去景德鎮。「我好想去啊！我要做陶瓷！」

原本打算只去一個星期的她，不經不覺去了兩個多月，Rainbo 穿著 T 恤前往，回來時已經換上羽絨了，還帶回五大箱共五十件陶瓷，分別在台北、澳門、香港舉辦陶瓷展。「我原本想把這批陶瓷做一個系列舉辦展覽，因為它們全是同一個素啞的色調，可惜比較大的全部都打破了，只剩下這些小的，我非常難過啊！」說時她臉上還留著一點懊惱，因為每一件都是她親手做的心血結晶。那時每天大清早七時起床，做到凌晨時份才懂得收手，手指變了「彈弓指」也懵然不知，原來是肌腱發炎，無法扳直。

「我覺得在香港，不是每個人都可以兩三個月甚麼都不理這樣去做，我不想浪費時間。」

初到貴境，Rainbo 一時間還找不到落腳點，後來她被一間陳設簡單的小店吸引，細問之下原來店主有一個貨倉可以讓她租用。「那間八百呎的工作室只有我一個人，沒有任何朋友，開始時覺得很孤單，因為店主都在老

Wild Wild Cats 的手辦公仔，還未正式量產，AWS 希望透過玩具讓更多人認識街頭文化。

遠外的另一個工作室，那時覺得自己好像被發放邊疆。那邊沒有網絡，我只有電話裡的歌，自己一個人聽歌，自己與自己說話。廁所都要乘電單車才到，我就盡量少喝水，整天待著不走開。一直做一直做，漸漸，我好像能夠找到自己。」

她幾近進入禪修的狀態，自己與自己對話，可以不再對著誰笑，不用再去考慮其他人的感受，她做了一系列沒有表情的，或者很憂傷的臉，「我不

Rainbo 喜歡大自然，作品就像是大自然裡的精靈。

Rainbo 在景德鎮日以繼夜、全情投入地製作陶瓷，當是自我療傷。

太擅長說話，我覺得很難跟別人說心中的事情。我從塗鴉開始到現在，發生了很多事情。二〇〇九年我的媽媽不在了，內心的另一面不想再對著其他人笑。感覺這兩三個月自己一人獨處，是很大的收穫。」獨自創作，就像是療傷。

Rainbo 的陶瓷作品是一個個不同樣貌的人，帶有一種大自然精靈的感覺。她笑說，喜歡陶瓷是因為她喜歡大自然的東西，陶瓷從物料到顏色、製作方式都是天然的。這或許跟她童年在湖南鄉村生活有關，暑假寒假走到婆婆家中釣魚、採蓮蓬，在大自然中四處奔跑，樸素美好。十八歲在鄉下高中畢業以後，她走到深圳唸書，並加入了學校的漫畫社，遇上玩塗鴉的師兄，自始便開始了她的塗鴉創作生涯。二〇〇五年的某一天，她在深圳報攤看到一本雜誌《玩具王》，上面寫著 Michael Lau、鐵人兄弟及 Toy2R，「Michael Lau 的玩具造型風格很特別，當時想買也不知道在哪裡

AWS 的作品在 ToySoul（上）及台北國際玩具創作大展（下）中展出。

買。我心裡很激動，覺得終有一天我要在香港做玩具設計師！那時我還未來香港，但我已經很衝動很想跑到香港找他們自我推薦，我想做玩具設計師。」自始她就開始了嘗試用不同物料如發泡膠、石粉粘土手做玩具，並笑言「不知道是不是因為我小時候喜歡玩泥巴？」

身旁的 Uncle 坦言，在他中四的時候，已在雜誌中留意到 Michael Lau、Eric So、鐵人兄弟及 Jason Siu 等人，雖然還未有能力買他們的作品，但

Rainbo 是街頭塗鴉愛好者。

每一期的雜誌報導，他都會剪貼妥當存檔，直到現在。「Michael Lau 的 Gardener 描述一班街頭文化愛好者，當時紋身是很小眾的一件事，他竟然出了一隻 Tatto（帶有紋身的搪膠玩具），後來又有 LMF 的角色，當時就想原來公仔可以跟 Hip Hop 有那麼大的關係。當 Michael Lau 與 agnès b. 合辦展覽，就開始覺得他走入了畫廊，與藝術有關。Eric So 有做陳冠希、李燦森的公仔。此外，我也很喜歡鐵人兄弟的小丑系列。他們的藝術玩具帶動了全世界的風潮，是香港影響了整個世界。二〇一六年我們去了曼城一間玩具店，裡面有一整個櫃都是 Michael Lau 的公仔。」

Michael Lau 在時代廣場辦展覽，小粉絲 Rainbo 去朝聖：「我有見過他，但我竟傻呼呼地跟他說：『Michael Lau，我很喜歡你的東西！』他就笑笑。我覺得自己很傻（笑），都不知道要說甚麼。」Uncle 笑她：「應該已經有幾百個人這樣說啦！」

眼見前人能夠以形形色色的各種 Hip Hop 主題創作，讓 Uncle 更加希望自己的創作能在主題上深化內容，不只是在形式上表達。之後，Rainbo 與

AWS 在倫敦（上）及香港（下）都有大型塗鴉作品。

AWS 希望消除大家對塗鴉的偏見。

Uncle 的 Wild Wild Cats 系列誕生，之所以命名為小野貓，始於他們領養了兩隻街貓。Uncle 覺得街貓很有性格，說來便來，要走就走，「表面像是很怕人，實際上是牠們有自己的一套想法、生活，對旁人愛理不理。」說時遲那時快，貓貓已經跳到他身上，賴著不走討摸摸。Rainbo 指著牠笑說：「你已經不配小野貓的稱號啦！」

「我們因為玩塗鴉而認識了很多不同的朋友，例如跳街舞的、當 DJ 的，以及 Rapper，甚至踩滑板或者 BMX 等極限運動的。我覺得街貓與我們這班人有點相似，縱使旁人不明白，但他們在圈子內仍然很享受自己的生活。而且，大家見到玩 Hip Hop 的人，總覺得他們蒙著臉戴著金鏈，樣子凶神惡煞又要偷偷摸摸被警察追，我自己參與其中，就知道真實情況並不是這樣。所以我想藉著 Wild Wild Cats 中不同的角色，來介紹每一種街頭文化，不純粹是造型上的介紹，會走遠一點。譬如第一隻是關於塗

塗鴉猴子 Mr. Waterloo 手辦，會被帶到澳門、廣州、台灣、北京等地巡迴展覽。

鴉的，我們就會帶著它到不同地方的塗鴉活動及比賽；第二隻構思中的街舞貓，就希望能夠請到跳街舞的朋友跟它 crossover，在活動中介紹街舞文化。」不過塗鴉猴子 Mr. Waterloo 將會搶閘出世，先到澳門、廣州、台灣、北京、上海、杭州等地作巡迴展覽，發佈會將會在他們的香港工作室舉行。

為甚麼不在香港辦展覽？Uncle 解釋，「其實我們沒有打算將目標放在一個地方，我們喜歡周圍去，當然我們都希望在香港也得到更多的關注，讓更多人認識藝術玩具文化。若有機會做發佈或展覽，我們都會去做。」Rainbo 感嘆，「感覺香港好像很少人會買本土的產品，外國的創作人來香

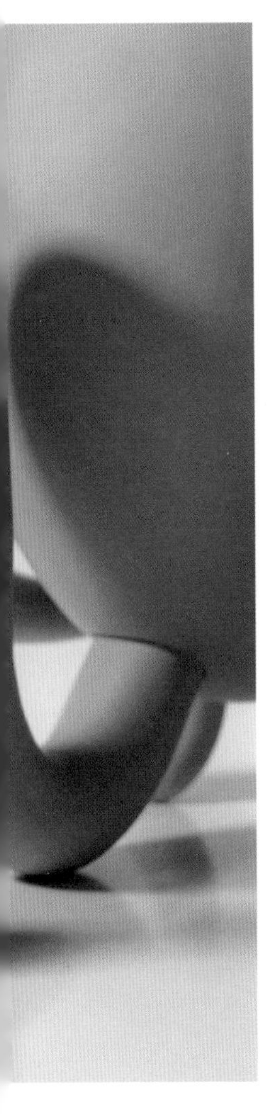

港辦展覽，媒體都很喜歡去報導，機構會花很多錢去宣傳，香港人會排隊去看展覽。但本地創作，沒有人很想去理解。」

「香港有一個投機的風氣，他們也不清楚自己是不是因為喜歡而買這件產品。香港人太現實了，他要看到潛在的炒賣能力而決定是否購買，至少我見到的情況是如此。」Uncle 搖搖頭。

R | Rainbo　　U | Uncle

大人都喜歡的玩具

藝術玩具訪談

藝術玩具是甚麼？它與傳統玩具、藝術品有分別嗎？

R：藝術玩具不是小朋友玩的，都是做設計做藝術的人、喜歡潮流的大人會玩的。不過有時我也覺得很難區分，例如 Kasing 的產品，如果小朋友很喜歡，會令人覺得是兒童玩具；但如果是收藏家或者大人去購買，就不會被當成是一件兒童玩具。其實那些大人小時候都很喜歡玩玩具，長大後有經濟能力就自然會去買小時候買不起的玩具。

U：我覺得要看看其起源，玩具就是玩具，為甚麼會有藝術玩具走出來？這是因為玩具開始變得受大人喜愛，就衍生了「藝術玩具」。想起以前 BE@RBRICK 開始時，本身只是一隻大人小孩都會喜歡的公仔熊，後來陸續有 crossover，當牽涉到潮流界及藝術界，就不再是單純小朋友看到覺得可愛的東西，而是讓大人都喜歡的藝術玩具。又例如 Michael Lau 的 Gardener 系列，衣飾配件都是自己做的，玩家就是欣賞這些如拉鍊真的可以拉的細節，這已不再是小朋友會留意的地方，而吸引了一些喜歡玩具的大人，變相才有這種玩具出現，慢慢就延伸至藝術界，在藝術畫廊中出現。從街頭藝術走到潮流界或藝術界，是很被動的，即使我做了一件作品，但我不知道這是玩具還是藝術品，反而是外界定義了它們，我們不會說想做藝術品或者玩具。我們都沒有理會，只是一直在做自己的創作，唯一我們能夠決定的就是它的生產數量，從而決定價錢。雖然現時有很多手做的作品，但我們都想生產，想讓更多人見到、接觸到或者買得起我們的作品。

藝術玩具發展的阻力是甚麼？

U：很奇怪，藝術玩具其實已經發展了幾十年，可以說是由香港帶到全世界，直至現在外國市場成熟了，甚至其他地方仍然有這個熱潮及文化，但香港反而熄滅了。

AWS 沒有理會太多，只是一直在做自己的創作。

今時今日，我們要發展自己的創作，大眾的認知竟然降低了，談合作或者做活動的時候，對方對於我們在做的事感到很陌生，以為我們的玩具是小朋友玩的，適合做一些兒童的產品。我們本身又不是真的很介意這是適合小朋友的玩具，但我們覺得藝術玩具至少會有藝術的元素在其中，我們都希望作品有價值，而不是小朋友玩得很開心的那一種。所以我們都要做些功課，每次面對對藝術玩具比較陌生的人，如何去介紹我們的作品。

R：以前你會看到很多藝術玩具與不同的品牌做 crossover，現在很少企業會出自己的公仔，如果之後能多點就好了。另外，最大的阻力當然是租金，在香港從事創作，你需要不斷做才可應付租金。

U：香港的租金太誇張了。我們認識的台灣朋友在政府的支持下，在華山 1914 文化創意產業園區的創作室租金是一千台幣一個月。我們找工廠區的工作室都已經要過萬了。賽馬會創意藝術中心（JCCAC）那些除了申請不到，掣肘也很多，我們做創作都需要彈性的時間，但 JCCAC 不會讓你逗留太久。

因為玩塗鴉而認識了很多不同的朋友。

Rainbo 期望政府能提供到外地交流的資助。

藝術玩具要發展還需要甚麼？

U：我覺得需要一個報導平台去介紹或者展示藝術玩具，才會有更多人知道，以推動藝術玩具的發展。

政府的角色可以是怎樣？

U：我覺得玩具展是足夠的，現在每年起碼有兩個玩具展，也有一些大大小小的市集，不是完全沒有平台去展示。但你都不會期望政府在整個創意行業中，能為我們提供甚麼幫助，我們都是靠自己的，可能不趕你走已經算是很好的了。創作人的工作室八九成都在工廈，但政府可能會說你違規，不符合地政條例而趕你走。

R：可能這是發夢，我希望政府可以支持香港玩具設計師去參加外國的藝術玩具展，或者跟其他城市合作，提供多一點交流機會。現在內地很多城市都會跟外國城市結成友好城市，兩邊的創作人可以經常交流，有資助的話就不用每次都要我們自費，自費的話機會就比較少了。

讓手做玩具薪火相傳

Facebook · Don't Cry In The Morning

Instagram · dontcryinthemorning / Website · dontcryinthemorning.com

二〇一三年由 Au Sun 及 Kitty 成立，二人全職創作，視創作為終身職業，並希望將手做玩具發揚光大。創作靈感取材於日常，主要作品為樹脂膠玩具、繪畫及插畫。

DON'T CRY IN THE MORNING

CH 1.9

FUKU BEAR & KAIJU KAKU/4.5 INCH/ SOFT VINYL/ 2016

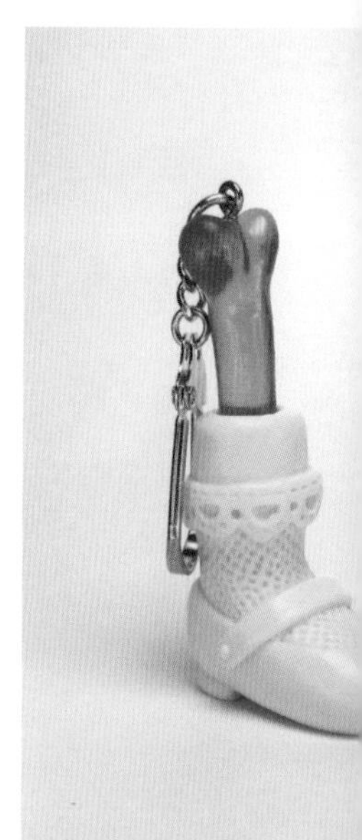

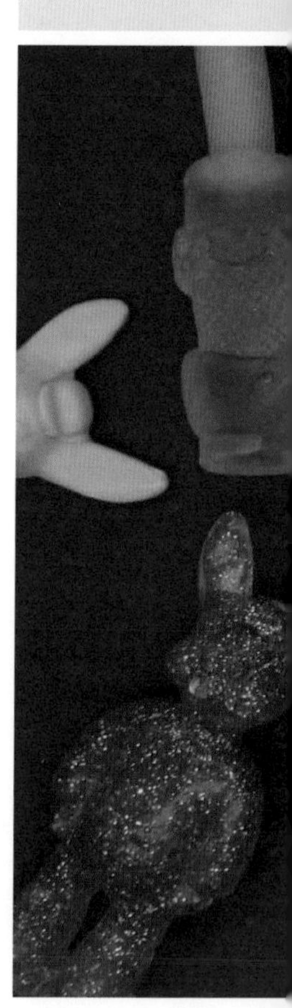

Don't Cry In The Morning（DCITM），由情侶檔 Au Sun 及 Kitty 組成，二人曾從事廣告和製作方面的工作。二〇一三年，他們為了實現自己的一些想法，鼓起勇氣放棄正職工作，全身投入創作，真正將興趣當飯食，相當不容易。所以 Don't Cry in The Morning 既是勉勵他人，也是支撐自己的一個信念，「我們以前做創作都會做到很夜，遇到有問題時都會覺得很辛苦，但怎樣也好，第二天早上起來，沖個涼刷個牙，又繼續之前未完成的工作。我們想傳遞一個信念：即使昨夜有多麼辛苦、不開心，第二天重新再來，這是做創作或者我們在香港生活應該抱持的信念！」滿臉鬍鬚的 Au Sun 帶有幾分孩子氣的笑著。

膽粗粗全職投入創作，實際是看到前人走過的路，縱然難行，但有希望，放手一博未嘗不可。Au Sun 說：「在我們唸書的年代，Michael Lau、Eric So、鐵人兄弟推出了很精美的公仔，對我來說很震撼，那時就覺得玩具創作是很值得全心全意去做的事，如果將來有機會，都想像偶像那樣做自己的創作，用雙手向大眾展示自己的想法，這一切，好像冥冥中早已埋下伏線。」Kitty 認為，前輩走過的路，讓她覺得以玩具創作維生是有可能的事，「前幾年也認識了一些香港本地創作人，大家一開始都是不計成本、不去想賺不賺錢，全職去做自己想做的創作。見到他們有這個心，而且做得愈來愈好，令我們都覺得有這個可能性。」

DCITM 的運作模式似乎跟其他玩具設計師不同，有約三年時間都是以銷售自家製樹脂膠玩具為主，甚至在家設置小型生產基地，其他設計師大都

DCITM 的公仔隨心而做，雖然背後有故事，但也不受限於角色設定，隨時發展新角色。

親手做玩具，當看到成品誕生便有無上的滿足感。

是先畫好草圖，然後交給工廠生產搪膠或 Polystone 玩具。二〇一三年他們辭職後，有一段時間先畫插畫，後來感到平面再也難以滿足，便挑戰用不同的媒介去呈現。機緣巧合下，經朋友而得知可以人手製作樹脂膠玩具，也不須像搪膠玩具般需要工廠資源，於是二人從零開始，在 Youtube 上看教學，從雕泥、倒模到打磨上色，一步一步學起，每一件作品都獨一無二。「有甚麼問題都是自己想方法解決，在錯誤中學習，很多時都要從頭再做過，成功以後就很有滿足感，真的像十月懷胎誕下的子女。以前買創作人的玩具，單純覺得很正很美，但自己親手做過以後，就發現每件玩具背後創作人都付出了極大的心力及時間，自己更加尊重玩具創作人及其作品。」Au Sun 笑說。

最初，身邊的人都會質疑他們全職做玩具創作是否可行，家人擔心他們前途，不明白為甚麼要這樣「玩」。後來他們有成品出現，做到一點成績，家人朋友開始認同他們。更重要是，在創作的路上，Au Sun 與 Kitty 會互相扶持，跨越高山低谷，感恩有共同興趣的伴侶互相鼓勵對方。二人平日的拍拖活動主要都是圍繞做玩具，「她去買化妝品，我就去看有沒有鉗子

Skull Boy 是他們的標誌，寓意當肉身離開世界，其精神仍會長存。

可以用來當工具（笑）。」Kitty 和應，「平日我們都經常去不同的地方看看有沒有材料合用，例如深水埗的『珠仔街』（即汝州街一帶）。」

「我們覺得在香港，你有心的話，就可以找到一個方法靠自己的創作來生存，雖然不是大富大貴，但只要可以繼續創作，擁有做自己想做的事那份堅持與決心，就可以不斷有 passion。」他們早在工作的時候，就儲了一些錢作為創作基金，閒時接 freelance，現時也足夠應付日常開支的部份。「平常的消遣活動減少了，但我們因為把時間精力都放在創作上，都不會覺得太辛苦。」

他們的作品帶有一點美式的可愛與奸狡，譬如 Kitty 的最新樹脂膠分關節（其實以樹脂膠來做有關節的玩具，需要拿捏準確的比例，十分麻煩）角色 Lilian，以童話故事為背景，可愛的小女孩在森林中吸食其他小動物，其他小動物就在她身上出現，邪惡又搞笑。Kitty 解釋：「其實我們一直都很喜歡街頭藝術，在街頭展示自己的作品，別人很容易看到及接受。我們也想做出隨心的感覺，角色設定都是來自我們的生活，天馬行空，在手雕

左：Skull Boy 總是笑臉迎人，帶著他四處拍照也是樂趣。

右：手做玩具所帶有的粗糙感，在展覽中份外顯眼。

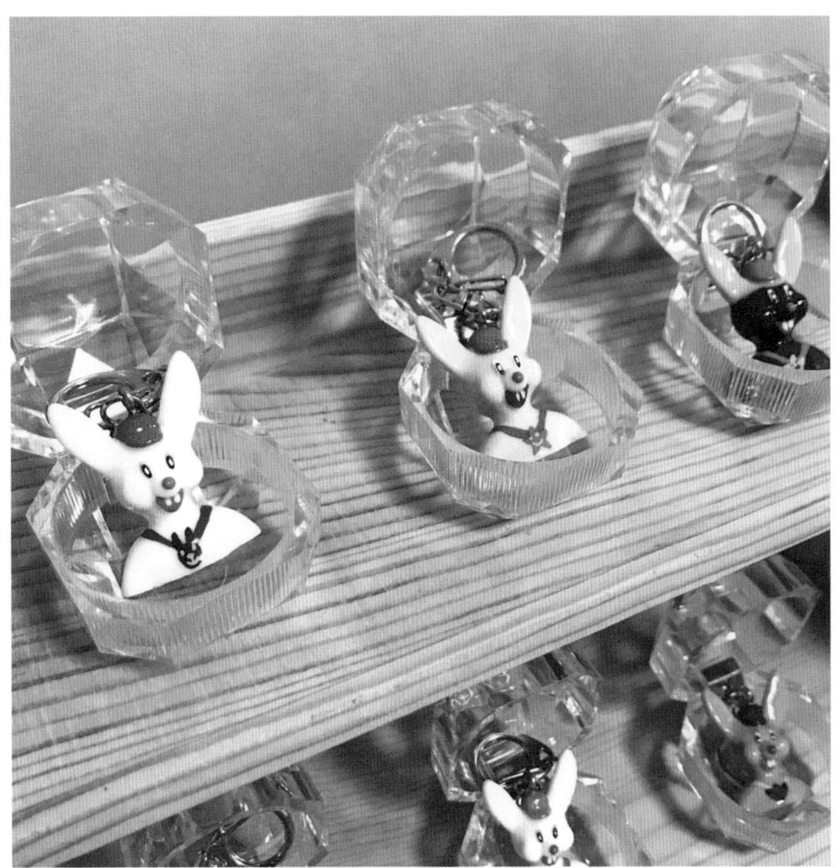

Harshly Butty Bunny 是個競速滑輪賽手，是一隻無論去到哪裡都會穿著滾軸鞋的兔子，天生有一副爆牙。

漫長的過程中，可以一直想如何改善角色，好像在跟角色交流，很享受這個過程。」Au Sun 認為，每一次創作都會給自己課題，嘗試新的製作技法，讓自己不斷進步。

他們即將迎來第一件工廠生產的搪膠玩具，除了因為喜歡搪膠玩具，另一方面也因為現實上的限制。Au Sun 說：「人手做樹脂玩具的限制是工序繁複，由倒模打磨到成品上色，每一隻都要花很多時間，一個月大約只能做九個新的角色。在複模三十至四十次後，矽膠模具會有損耗，變相大量生產的成本很高。而搪膠玩具可以是工廠生產一批素體後，我們做上色及包裝，大大縮短了製作時間。這樣我們有多些時間去創作新的角色，以及將意念向更多人傳達。而在實際情況下，我們也可以有比較穩定的收入，支持我們繼續創作。」

野骨（左）是一個沒有軀殼的靈魂，因為想要擁有自己的身體，故收集了不同的骨甲殘肢合成了身體。

二〇一六年，他們在 ToySoul 免費提供的攤位 Soul Mart 中擺檔，他們均表示有助了解行內最新的動態，以及跟其他創作者交流，眼界大開。Au Sun 說，「市場上，搪膠、超合金、模型等玩具都已各自有一群愛好者，我們亦希望手做公仔可以出現這個情況。其實手做玩具在外國都很盛行，我們覺得在香港都做得到。」他們有一個信念，希望跟其他人分享理念及技術，薪火相傳，而創作團體 Graphic Airlines 亦有向他們取經。

「最大的困難是怎樣可以維持自己的心態，堅持創作，因為中間有很多時

不同造型的 FuKu。

候火焰會熄滅，有壓力或者其他因素會令自己不開心，那時就要想方法去維持這團火，休息一會後又再繼續跑。」Au Sun 補充，「如無意外，我和 Kitty 都會將玩具創作當作終身職業，每天繼續做，一定可以做得更好，慢慢也會有更多人認識。」

A | Au Sun　K | Kitty

就如私房菜需要細味品嚐

藝術玩具訪談

十多年前，大家會說設計師玩具；十多年後，多了人說藝術玩具。為甚麼會有這個轉向？

A：我們覺得這是進化，因為以前有一些設計師自己找途徑去發表作品，今時今日他們從大量生產的框架中跳出來做自己品牌，將這件事推廣，令到更多人參與，更多人留意，他們就是將層次提升，將玩具變成藝術的其中一種表達途徑，他們作品中的某些元素，令到這件作品成為藝術品。不論是設計理念、上色、造型，或者與其他藝術家合作，種種元素加起來，已經不是一件單純的玩具，背後已經具備藝術品的元素。現在很多人會覺得設計師玩具昇華了，就有個共識變成藝術玩具。

K：現在時代不同了，網上有很多不同的渠道，直接跟創作人溝通，變相會衍生了更多 custom-made，或者出自藝術家親手畫或做出來的原型，藝術成份更高。

你覺得藝術玩具是甚麼？它與傳統玩具、藝術品有分別嗎？

A：創作的動機，以及我們為作品注入的靈魂是不同的，給予作品一個藝術生命。藝術玩具將我們的創作想法以玩具作媒介更有力地呈現，在製作的過程中，我們覺得是在做藝術創作，我們的結晶品是玩具；同時，收藏者可以將我們的藝術品，即藝術玩具，更容易地在家中收藏。

至於跟一般玩具的分別，在於表達的模式及背後的創作動機，有些流行玩具將某些受歡迎的元素大量複製，我會將之比喻為快餐，填飽就可以了。但我們做的就如私房菜，每一晚精心製作少量餐單，讓找到我們的私房客能細味品嚐。

藝術玩具足以成為代表香港的文化嗎？

K：有很多人不太了解 Figure、玩具，覺得是潮流玩意，但我們覺得對創作的影響

Kitty（左）與 Au Sun（右）。

不大。而且當有一股很強勁的潮流，雖然未必會吸引大眾去看比較小眾的藝術玩具，但當多人注視，亦能夠吸引更多有心人去了解。

A：我們覺得完全可以代表香港，因為在香港有一流的收藏家、設計師及品牌，在全球玩具界都舉足輕重。正如 Kitty 剛才所說，潮流不斷地轉，每個設計師都有不斷自我進步的要求與能力，正因為有所創新，才會令玩具界出現這種潮流。香港的玩具的確是香港文化中重要的一部份。

藝術玩具要健康地發展，還需要甚麼因素？

A：香港要有更多讓年輕人接觸創作的機會，有更多途徑讓他們知道怎樣去做自己的玩具或作品，現時香港比較少這類型的機構及平台。

藝術玩具對這個社會有甚麼好處？

A：買玩具的人其實都是為了滿足心靈，大家小時候未必有能力購買或做自己想要的東西，當有了經濟基礎，便很想擁有自己的玩具收藏品。香港應該要有各行各業百花齊放，除了金融地產，都要有其他行業能夠讓我們發揮所長。我們想將玩具創作作為終身職業。

Sofubi
怪獸襲來！

Facebook · Play Studio
Instagram · playstudio.vinyl

由 Louis Wong 於二〇一四年成立，設計師一手包辦設計概念、原型製作、塗裝直到包裝設計，主打怪獸玩具。近年設計了原創 Sofubi 玩具鬼忍，並曾跟日本品牌 PUNK DRUNKERS 來個 crossover。

PLAY STUDIO

鬼忍 /9 INCH/
VINYL/
2015

看著鬼忍，不期然令人聯想到日本的惡鬼赤鬼及青鬼：頭上頂著兩隻稜角、面目猙獰、長著駭人的獠牙、上身赤裸，並抓著一把巨大的狼牙棒。不同的是，這隻鬼忍可以換頭換手，可以加上鎖鏈、佛珠串，可以有不同的顏色。自言深受日本文化影響的 Louis，尤其喜歡鬼怪故事，「自己很喜歡赤鬼妖怪，就算連中國的山海經、日本的妖怪百科、鬼太郎也很喜歡看，而且做不規則的怪獸比較容易上手，需要顧慮的東西也比較少。若果你要雕刻一個人，你要顧慮左手是左手，右手是右手，但因為我做怪獸，怎樣設計都可以。」當玩具素體被生產出來以後，Louis 也堅持人手上色，「因為腦海中突然浮現的設計很難跟人說清楚，倒不如自己親自去做。」

Louis 心目中的怪獸，要能扭動、可以換部件，除了方便他帶出街拍照，也為了日後能夠跟自己喜歡的設計師 crossover。二〇一六年底，他與 PUNK DRUNKERS 主理人里見親美在 INCREDIBLE space 舉行了一場特別的大對決，將鬼忍與 AITSU 身首互換，搖身 PDS NINJA 及 ONI AITSU，十分搞笑。

鬼忍的另一個特點，是採用了日本軟膠 Sofubi（Soft Vinyl）的物料及生產方式，這種軟膠玩具在六七十年代日本超人、怪獸特攝片當道的時期尤其盛行，之後沉寂了一陣子，九十年代再次用來製作復刻怪獸玩具。後來這種物料慢慢被日本設計師採用，成為表達自己想法的載具。近年 Sofubi 在玩具界中掀起一股熱浪，這種日本的軟膠製作歷史悠久，技術成熟，能

上：Play Studio 與 PUNK DRUNKERS 聯乘，製作出 PDS NINJA（左）及 ONI AITSU（右）。

下：展覽場地 INCREDIBLE space 店外人頭湧湧。

鬼忍的身體部位可以置換，甚至可以加上配件，增添樂趣。

鬼忍手稿

造出不同的效果如將閃粉混入搪膠中；此外，為人擊節讚賞還有夜光的更明亮、氣泡較少，透明度更高。雖說現時內地工廠已經能生產到類似的效果，但家庭式少量生產的 Sofubi，似乎別有一番味道。Louis 解釋：「他們大多數是家庭式生產，例如房子有兩層，家庭成員就在下層製作，這些都是老師傅親手拉出來的。他們如何可以做得這麼漂亮？因為他們可能只有兩個人慢慢去做，做得比較精細，但也因為時間用得比較多，做一批貨可能要等一至兩個月。」

走做玩具的路，非常迂迴曲折。Louis 小時候最喜歡幪面超人，中三四時在討論區見到別人改裝玩具，心生羨慕，便開始嘗試用低溫陶泥做小型幪面超人鎖匙扣，滿足自己。有一天，他在麥當勞看到一套世界盃收藏紀念卡，覺得非常有趣，幾位同學為求儲齊一套，便沒日沒夜瘋狂地吃。在好奇心驅使下，他上網搜尋該紀念卡的設計師名字——Michael Lau，「原來香港也有人做玩具！」他十分驚訝，「當時我只留意日系的玩具，原來他很出名，做了不同種類的玩具如搪膠、Action Figure。雖然那時自己還未有能力去設計玩具，但已經很想做屬於自己的玩具。」當得知原來生產一

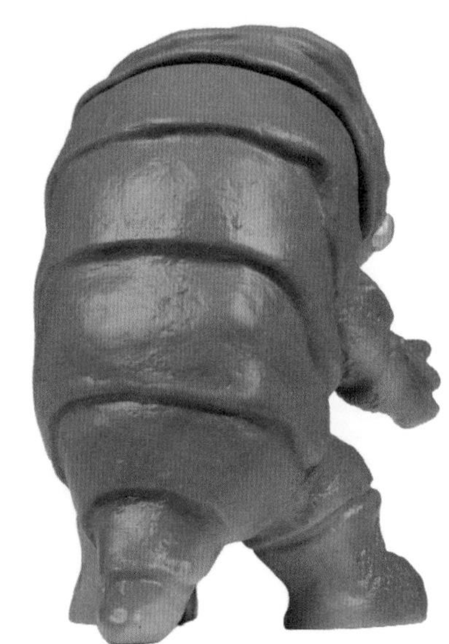

這是 Louis 第一隻自行設計及生產的首獸。

件玩具要牽涉大量金錢，以及工廠的資源，小小年紀的他當然未有能力實現，只得就此作罷。

Louis 後來修讀攝影課程，課程中主修產品攝影，因為他喜歡為玩具打燈拍照，跟了師傅工作兩年後，想試試新事物，又走去唸了兩年室內設計，因為他喜歡為玩具做情景模型。但他著實對數字生厭，出來工作還是重回商業攝影。

然而念念不忘，自有迴響。兜兜轉轉間，Louis 又回到玩具製作。「出來工作以後有能力了，想到自己還是很想做一件自己的玩具，那時 Hot Toys

首獸手稿

很強勁，不斷推出新產品，我亦開始接觸到 Action Figure，非常喜歡，花了很多時間研究，都想過自己做 Action Figure，但牽涉的範圍太大了，例如衣服、頭雕、軀體，讓你感到無從入手。」喜歡 Action Figure，也不難想像為甚麼他想製作可動性較高，以及可以換部件的玩具。

兩年前，他因為搜尋幪面超人的玩具，接觸到 Sofubi 玩具，「我見到有些很像幪面超人的玩具，但又不是幪面超人，然後我就開始研究，發現原來這就是日本的設計師玩具。而在包裝上，Sofubi 玩具簡單一張頭卡及膠袋就可以了。」起初他還未有計劃去做，只是有一晚，百無聊賴地拿起一塊泥，雕了一些簡單的怪獸，心想，是不是有機會能夠便宜地做一件玩具滿足自己的心願？後來經朋友介紹，找到一間在內地有工廠的香港公司，老闆見他年輕又熱血，決定給他一個好價錢。「那間公司幫我試做了幾百隻。當時我覺得賣不出去就當是自己玩吧。我也沒有想過自己的東西能夠賣出。」

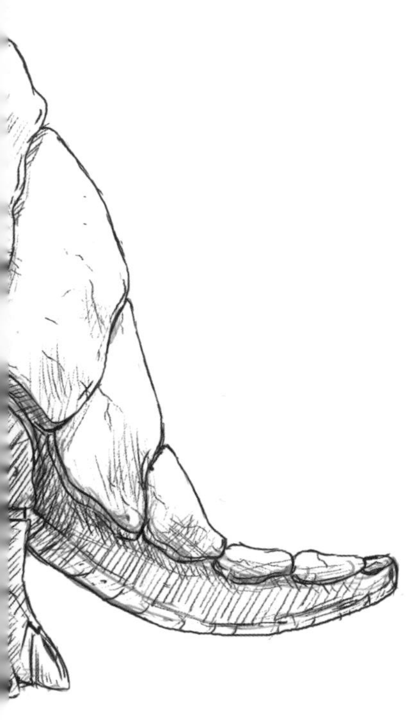

到現時為止，Louis 都是半職製作玩具。幸運地遇上了一個同樣喜歡玩具的老闆，把公司的其中一間房廉租給他作為工作室，工餘時就走到自己的工作室噴油上色。有否想過全職去做？「暫時未有，始終家人都想我有一份他們眼中的正職，由細到大我做玩具，父母都會覺得是玩，其實全世界都會這樣想。當初我要說服家人我想做玩具時，他們都會說小朋友玩的怎可能維生？這個想法都影響了我，令我懷疑做玩具是否真的可以變成自己的工作。當然我的想法後來有一些改變，見到 Eric So 他們真的可以將所

上：Louis 在日本 Wonder Festival 擺檔，很快就售光了！
下：Louis 在台北國際玩具創作大展中展出作品。

有時間投放在做玩具。但始終在香港的環境下，要將做玩具變成一樣正當的職業是很困難的。」

Louis 以品牌 Play Studio（玩工房）而非以玩具設計師名號出發，正是因為他覺得在香港很難單靠賣玩具生存，他希望打造一個品牌，日後推出不同的周邊產品以支持玩具的發展，「始終你的產品能賣，才能繼續支持做玩具這個興趣。」剛起步時，懂日文的 Louis 比較多在日本發展，一

每一隻鬼忍都由 Louis 親手上色。他尤其喜歡中間掛上從深水埗購來的木珠鏈的那一隻，笑說是非賣品。

來，他的口味偏向日本產品；二來，日本玩玩具的人多，活動比較多，參加費用便宜，有很多宣傳自己產品的機會。但自從認識了 Eric So、Kenny Wong 等玩具界前輩後，Louis 就慢慢將重心轉移到香港：「他們很願意教我，我很開心香港有這樣的一個團隊。始終香港是自己土生土長的地方，都想自己能夠代表香港去做玩具，推廣玩具設計師這個界別。在日本、台灣展覽前一晚，已經有很多人在排隊等候入場，我覺得這個界別是存在的，因為真的有一群懂欣賞的人。」

潮流是最大的敵人

藝術玩具訪談

藝術玩具是甚麼？它與傳統玩具、藝術品有分別嗎？

我覺得跟普通玩具最大的分別是，藝術玩具很多都是設計師將不同的想法放到玩具中，由頭到尾親手做出來，數量可能只有十隻八隻，而普通一件產品會無限量生產直至停產。而且我們每件作品都是手做，不可能每件都做到百分百一樣，珍貴的程度就等於一件古董花瓶。設計師將所有心血及設計都投入藝術玩具中，對我來說，這就是藝術。

我覺得藝術玩具可以兼備可玩性與可觀性，這要視乎設計師的概念，當然有些藝術玩具真的做得很美觀，很有收藏價值。我買這件作品回來，也不會去想它到底是不是可玩的，因為我本身就很喜歡。就如一件古董花瓶，即使原本是用來插花的，但你買回來後，也不會這樣做。所以是否有可玩性並不是藝術玩具與普通玩具的重要分別。我設計作品的時候，可能會有可玩性，但我的重點仍是作品怎樣能夠最靚最強大地呈現當中的概念。

政府的角色可以是怎樣？

香港寸金尺土，地方是最大的問題。政府有很多空置的地方，例如觀塘海濱道天橋底，我覺得可以利用這些空間去支援新晉設計師，讓大眾可以看到他們的作品。政府也可以提供一些廉租的地方，讓新晉設計師從事創作或做展覽。另外，政府也應該宣揚這類型的設計，雖然冷門，但也是一種藝術，有其存在價值，我覺得政府要接受更多新事物。

藝術玩具要發展還需要甚麼？

藝術玩具與其他設計、廣告不同的地方是，我跟其他玩具設計師可以合作crossover，就可以將事情延續下去，也能夠讓更多新人參與。不然當我們都老了，沒有年輕人去承接，終有一天藝術玩具就

Louis 認為藝術玩具可以同時兼備可玩性及可觀性。

會跟香港其他文化一樣，因為沒有新人參與而消失。

另一個問題是，香港市場太細，就算不同的設計師做 crossover，但實際上會玩這種玩具的人都只是小圈子，單靠香港其實很難生存，這就需要衝出香港，伸延到海外市場。你要先在海外打響名堂，才能在香港擁有發展的機會。何況香港人是很善忘的，你今天推出了一件產品，明天就有另一件產品取代你的，要不斷推出新的產品才能吸引到大眾的目光，潮流是我們最大的敵人。所以我們要做更多事情及記錄，讓其他人知道香港有一群這樣的玩具設計師團隊，令到大眾自覺去尋找及追求，藝術玩具才可以生存下去。

藝術玩具對大眾有甚麼好處？

首先這類型玩具沒有形式上的限制，大眾能夠發展他們無限的想像力、創造力。如果一家大小都一齊做一件藝術玩具，也可以讓他們有家庭互動樂。有些人不擅長說話，藝術玩具可以鼓勵他人以不同的形式去表達自己，做到溝通橋樑的效果。

現實太殘酷，簡單一點吧！

Facebook · Bubi Au Yeung

Instagram · bubiay / Website · bubiauyeung.com

香港插畫師、多媒體設計師及玩具創作人，喜歡畫畫、塗鴉、看漫畫及收集玩具。二〇〇五年推出首件玩具作品「樹仔」（Treeson），風格簡約、清新。最近，多以心靈為題材而創作，產品於歐美大熱。

BUBI AU YEUNG

TREESON/
5 INCH/VINYL/
2012

Bubi 的作品非常簡單，兩點豆豉眼加一條線當嘴巴，外形軟綿綿像棉花糖，給人一種很溫暖窩心的感覺。「我很喜歡的藝術家 Paul Klee，也是以簡單的形狀及顏色去構圖。在那個年代很多藝術家都會畫現實畫，但他不喜歡，他覺得現實已經過於殘酷，為甚麼不能簡單一點呢？我很喜歡他的概念，所以我都偏向喜歡簡單的東西。」

除了 Paul Klee，Bubi 亦有收藏五六十年代的花生漫畫玩具、本地的鐵皮玩具，以及一種以前蘇聯出產的單色膠玩具。收藏品都盡量偏向簡單、懷舊為主。當了玩具設計師後，她就比較留意 James Jarvis 的玩具，「雖然不可以說他對我的影響最深，但我會當他是一個學習對象，看看他除了簡單的風格外，是否也會做比較複雜的作品。另外，Jean-Michel Basquiat 對我也有很大的啟發；雖然他與我的風格完全不同，但他的作品很有生機、很隨意，線條也簡單。」

簡單中帶點 tricky，是她作品的特色。她的第一件玩具作品樹仔，小怪獸掛著笑臉，身上卻插著一支樹枝，拔開了就會見到它的心，總有種 bitter sweet 的感覺。這隻小怪獸在森林中被養大，因為要保護樹木免受人類的傷害，結果自己受傷了。筆者以為 Bubi 的創作核心是環保，她卻笑說，這是很多人的誤解，因為她不止說環保的事，也說全人類的事。「很多人會這樣說，但現在根本整個環境，整個大自然都不能跟我們分割，我是將生活中的事情透過各種方式去表達，不只是說環保。」

上：樹仔有不同的表情。

下：Bubi 不只是在說環保的事情，也在說全人類的事情。

「我想做一些大家都想關注、容易有共鳴的東西。在現時的創作階段，我會偏向尋找心靈上，大家沒有想過的情緒，譬如為甚麼會不開心？你要去思考生活中，到底是甚麼會令你有那種情緒。後來，我發現自己對不同的人都有不同的嘴臉，我們經常會掛著面具做人，有時不開心是因為你覺得無法表達真正的自己。」尤其在今天大家都沉迷於社交媒體，諷刺的是，雖然大家不喜歡真實地跟人面對面，卻喜歡在社交媒體表達自己，Bubi 希望透過作品展示人的 inner child。例如她的 Whispering Spirits，小

Bubi 的作品偏向展示人的內心世界，像 Whispering Spirits，是自我與靈魂對話，藉此消除孤獨感。

怪物包紮了的左手滲著血，右手捧著一堆雲團 spirits，那顆靈魂是他想像出來的朋友，藉著跟這位朋友對話，消解自己的孤獨感。她想表達很多時候，克服困難都需要靠自己，「尤其在現今的香港，你不靠自己去爭取，去堅持，你會支撐不了。」

Bubi 的身份是頗為尷尬的，她是香港設計師，但卻不在香港設計師的圈子內活躍，反而先攻歐美。原先擔任網站工作的她，二〇〇五年因為覺得

Bubi 的畫作有種讓人平靜的感覺。

自己還是比較喜歡畫畫，於是嘗試將自己的畫作放上網跟人分享，因緣際會下，香港廠牌 Crazy Label 邀請她合作推出玩具。「我小時候也有將玩具拆開再組裝，玩自己個人化的玩具，我一直都覺得玩具只不過是一個立體的創作媒介，插畫就是平面的，對我來說玩具、插畫都是藝術作品，如果之後有 4D、5D 技術，我都想去嘗試。」

在產品推出後，她第一時間就已經將發展重心放在台灣、歐美等。她參與了首三年的台北國際玩具創作大展，已經發現台灣市場比較容易開拓。「因為香港人被日本漫畫養大，大眾會比較偏向認識漫畫角色。在台灣，大眾的包容能力較高，基本上玩具推出就會有人買，變相可以將顧客群擴闊。香港人則是你要很出名，每個人都認識了，他才會買你的玩具。當時我就覺得，香港市場不能容納我們去發展。」可笑的是，當 Bubi 在台灣成名以後，倒過來有香港人到台灣買她的作品。

除了台灣，因為生產商 Crazy Label 也將重心放到歐美市場，所以 Bubi 在歐美市場也建立了品牌，不斷有畫廊邀請她參加展覽，以及有慈善團體邀

畫作線條簡單，但卻隱含了人與自然和平共處的願景。

雖然 Bubi 是香港創作人，但她先攻歐美市場，建立品牌，有當地的畫廊邀請她參加展覽。

請她參與慈善項目，對她而言，玩具很容易吸引大眾的眼球，是一種能夠快速讓人認識的好方法。「可能他們接觸得太多大量生產的東西，他們會覺得設計師玩具是很珍貴的產品，而產量不多也增加了收藏價值，像一件藝術品。而我覺得這也跟文化有關，他們的包容性比較強，也更加尊重藝術，即使當時我沒有知名度，但外國人只會看你的作品好不好，能否產生共鳴感。」Bubi 在香港曾經遇過不愉快的經歷，有商場及企業找她合作，卻覺得她「名氣不足」而說難聽的說話，並開出不利的條件，甚至拒絕付錢，「所以直到現在，我都沒有接到香港的項目，那倒不如專注在會欣賞我作品的其他國家發展會更好。」

二〇一四年 Bubi 在柏林有一個展覽，根據她的觀察，每個人對她的玩具都很感興趣，才發現原來在歐洲沒有太多玩具零售店去賣類似的設計師玩具。「歐美有自己的風格，亞洲走的可愛風，他們覺得衝擊比較大，所以歐美的人會比較喜歡我的產品。」有沒有想過回到香港的 ToySoul 參展？「如果許可的話，我都想跟其他設計師有正面溝通，我也很想知道我的 Fans 會是甚麼人。」

市場計算較低

十多年前，大家會說設計師玩具；十多年後，多了人說藝術玩具。為甚麼會有這個轉向？

字面上解釋就是設計師玩具是由設計師去做，但現在有很多不是設計師出身的，而是藝術家，例如奈良美智會推出自己的藝術玩具。加上現在玩具的質素更加精細更具收藏價值，創作人及收藏家都會想那件作品做得更好，藝術玩具已經成為了藝術品，有些甚至會全人手上色，製作的時間與你做作品沒有分別，所以這就是為甚麼會有藝術玩具的發展。

藝術玩具也可以是一件藝術品，它與傳統玩具有分別嗎？

首先，我覺得物料與價錢已經不同，以前的玩具更著重功能性，但藝術玩具是從藝術家出發去做，創作的意念是很明顯的。例如我做關於 Whispering Spirit 公仔，我相信沒有一間做 Barbie 的工廠會替我生產，他們不會覺得這件產品會令一般大眾產生共鳴。但藝術家就會覺得我想表達某種訊息便做，純粹是由心及意念出發，其他大量生產的玩具是以市場為主導的，我覺得藝術玩具是非以市場主導，更多是由藝術家主導，喜歡畫甚麼就畫甚麼。但傳統玩具是有市場的，我相信藝術玩具的計算是很少的。

Bubi 認為創作不分媒介，玩具比較容易吸引眼球。

左：Bubi 期望香港可以像韓國般有玩具設計課程。
中：Ren（左）及樹仔（右）。
右：SOU，擁有一顆善心的女孩，負責保護脆弱的靈魂。

你覺得藝術玩具要發展還需要甚麼？

我覺得要有更多的資源及機會。一些新晉創作人想做藝術玩具，卻完全沒有途徑接觸，那時我很幸運可以推出自己的玩具，但我的朋友都會很想知道可以怎樣去做。他們沒有渠道去認識及了解。

我知道現在韓國有「製作、生產、展覽」的玩具設計課程，Coolrain 每年都會帶他的學生到其他地方參加展覽，一班十幾人走出來對市場的影響已經很大，而且每年的學生也不同，不斷有新人加入。在香港真的完全沒有這件事。我在台灣參展六年，主力做玩具的都仍然是那班香港設計師。新晉設計師要靠自己儲到一筆錢或者申請基金，才可以做到他們想做的玩具，但創作人不擅長跟工廠商談，第一次被騙以後，就沒興趣再做下去。而在排除萬難生產以後，又要能夠賣出才能維持營運及

發展，有一些手做玩具的創作人，計算人力成本以後，就算作品賣光都會蝕錢。新晉設計師是需要一個代理或廠牌去幫助他們，才能做到第一件玩具。

之前我曾跟一個美國創作人合作生產一隻熊仔，但過程非常艱辛，換著是我，都希望有人能夠帶領我去做，不用自己慢慢摸索究竟跟哪一間工廠合作會比較適合，並要承擔很大風險。若你能告訴我可靠的工廠資訊，已經幫了很大忙。這些資源在香港是完全沒有的。

政府可扮演怎樣的角色？

如果政府能夠提供一些資源，讓有心的團體或者個人去搞類似韓國的開班授課，培養一班玩具設計師就更好了，但我覺得現在大家都不會期望政府會做這件事。我覺得可能是有一些商業機構贊助或者大學的設計課程都可以有一門課是關於香港玩具業的，雖然現在有產品設計，但產品設計未必是專注於玩具，如果有些課程能夠告訴你怎樣入行，怎樣可以將自己的角色變作藝術玩具，我相信很多年輕人都有興趣去做。

其他地區發展情況

日本

海洋堂

T9G ×
Shoko Nakazawa ×
Dan Rie

Mai Nagamoto

Shinichiro Kitai

大久保博人

Dehara Yukinori

韓國

Coolrain

Sticky Monster Lab

Raktang

Umberrabbit

台灣

Monster Taipei

Paradise Toyland

Wrong Gallery Taipei

13 ART

BanaNa ViruS

玩具人

泰國

Pex Pitakpong
Jamesripong

中國內地

李國慶

麥子

Ruins Kung

新加坡

Daniel Yu

CH.2

做出令人感動的玩具

Facebook · kaiyodo1964

Instagram · kaiyodo_pr / Website · kaiyodo.co.jp

於一九六四年成立，日本知名的玩具模型製作公司，六十年代帶起食玩風潮，一九八五年舉辦第一屆 Wonder Festival，九十年代後期跟村上隆合作推出藝術玩具。宗旨是「為所有人創造樂趣」。

海洋堂

JAPAN 日本

海洋堂（Kaiyodo）最初打算開烏冬麵店或模型店的，可以分享一下海洋堂的成立過程嗎？

我的父親（海洋堂創立者宮脇修）現在已經接近九十歲，他跟我說，在五十年前公司還未決定向著哪個方向前進的時候，那時只有八歲的我很喜歡玩具，跟父親談起，他說：「怎辦呢？怎樣決定繼續做烏冬麵，還是做玩具店呢？」他就拿著繩子吊著一件東西，如果掉在一個方向就做玩具，另一個方向就做烏冬，二分之一的機率就決定了做玩具店。

十五歲的時候，我就成為了玩具師傅，開始幫家裡幹活。三十年前就正式有了現時海洋堂的規模，發展可活動的公仔。那時我很喜歡收集模型，也很喜歡機械人、怪獸或者漫畫中的角色，尤其是哥斯拉，很可惜沒有公司會做這些令我感到滿足的玩具，所以我就開始自己親手做。我的理念是，「自己喜歡的東西自己做」，與 ToySoul 所說「靈魂」是很接近的，即自己喜歡的東西，就親手將靈魂放進去，做好一件產品。今時今日自己仍然很喜歡收集玩具，現在收藏品已經過萬件了。

你曾經說過海洋堂是一位創作者多於一位生產商，可否說說這方面的看法？

海洋堂除了生產以外，還有設計。首先我自己喜歡的東西，會叫原型師去做設計，基本上海洋堂現時大部份的設計都是等於原型師 Miyawaki 先生的理念，很厲害啊。（社長說的應該是自己吧，很可愛呢！）

現在科技發達，年輕人都到網絡世界裡，不玩實體玩具了，你怎樣看這個趨勢？

不只是在日本，可能全世界都是。的確現在有遊戲或互聯網，售賣玩具的商店數量下降，這個現象並不出奇，因為當一件事去到頂峰，自然會跌下來，沒有辦法可以解決。我自己現在都會玩遊戲，但我覺得遊戲與玩具最大的分別是，玩遊戲你要有部遊戲機，就好像你只是去玩那部遊戲機，但玩具就是，你要親手去玩，親手去處理這件玩具。不過，綜觀整個趨勢，未來世界是大家都只會拿著電話，甚至可能到時大家會說，家裡連放玩具的位置都沒有，或者做玩具的地方都沒有了。可能慢慢會變成一個這樣的世界。

你怎樣看沒有漫畫或電影背景的原創產品？

多一點原創的角色會是好事，因為高達、迪士尼公仔、Ironman 等早已經有原版，能夠大賣是因為本來已經有的人氣。而且從漫畫或電影中抽取角色，可能會有版權問題，做了都不能賣。原創的好處是，喜歡的東西就做出來，將自己的概念具象化，不受任何限制。做自己喜歡的事是最好的，我希望未來商品都會向這個方向發展。

經典電影《鹹蛋超人》中的怪獸軟膠玩具。

你怎樣看香港創作人及其作品？

我覺得香港與日本最大的分別是，香港的時裝及設計很特別，很創新。日本都是跟隨以前老一套的做法去做公仔，例如用手、黏土，但這個世代，就如在香港，已經見到以數碼方法去做玩具，這是未來新趨勢，但日本未必會跟隨。另外，香港的設計偏向酷及有型，跟日本的方向不同。

用心的東西會有神明寄宿

一九九七年開始，海洋堂與村上隆合作推出藝術玩具，這算是海洋堂進入藝術產業的第一步嗎？

對我們來說，從來沒有想過要踏入藝術產業，亦沒有打算開始去做。我與村上先生一樣，對於那些很有型的公仔一點興趣也沒有，最初村上先生只是希望做一些帶有藝術性的美少女公仔，我們就跟他合作，並盡量配合，希望村上先生將這個藝術性公仔的領域帶給我們，讓我們試試去玩。而這個合作亦是基於「原型師喜歡做甚麼就優先讓他們去做」的理念，而不是我們要去做甚麼而做甚麼。

社長宮脇修一先生深信，一件用心做的東西自有神明寄宿在內。

最近有個新興的藝術玩具詞語，你覺得藝術玩具及傳統玩具有沒有甚麼分別，藝術玩具可以是藝術品嗎？

日本有一句諺語是：一件用心做的東西會有神明寄宿在內。對我來說，我們這些用心做的東西，是應該會有神明寄宿在內的！平時普通的美少女系 Figure，一次過啤出來的，配件很少；而我們做的藝術玩具，則擁有很多精心雕琢的部件。我覺得

海洋堂做玩具的宗旨是「喜歡做甚麼便做甚麼！」，其出產的玩具擁有很多精細配件，希望能感動人。

藝術玩具與普通 Figure 最大的分別是，普通 Figure 可能會很酷，可以擺出很有型的姿勢，但我不想做這些產品，因為酷（Cool）代表「冷」，我要做「熱」的，即帶有藝術性，別人看了會感動的。

小小的可愛怪獸

CH 2.2

T9G ×
SHOKO NAKAZ
DAN RIE

T9G（TAKUJI）
日本原型師、玩具設計師，以立體作品呈現個人獨特的世界觀，作品特色為使用娃娃的眼睛，接連推出原創的藝術玩具角色。

Shoko Nakazawa
使用油畫和數碼媒體創造人類和夢幻般的生物，創造一個頹廢和自然的世界。她使用生動的色彩創作平面及立體作品。

Dan Rie
專注於創作 Sofubi 玩具，創造一個沒有人的怪獸世界。

Facebook · Takuji Honda (T9G) / Shoko Nakazawa / Rie Dan
Instagram · xt9gx / shokonakazawa / dan_kaiju
Website · muse-um.com / koraters.com / kaijuart.wixsite.com

JAPAN 日本

T | T9G　S | Shoko Nakazawa　D | Dan Rie

為何會開始做玩具呢？

T：最初我在一間設計公司擔任原型師，工作了約八至十年，主要是雕刻麵包超人、迪士尼角色的原型。我常常有一些概念，總想著做自己的角色，工作了一段時間後，心想不如替自己的角色雕塑原型，甚至當成是職業吧？十七年前，日本還未有玩具設計師這個行業，當時我設計了一些角色，又碰上 Hot Toys 在日本舉辦玩具展，就試著把自己的作品交給 Hot Toys 老闆 Howard Chan 看，當時他覺得 OK，我就替他們雕一些原型，反應不錯，大家都喜歡我的作品，之後我就開展了玩具設計師的職業生涯。

S：我一開始主要是做平面設計及畫畫的工作，一直以來都沒有接觸玩具行業，不像 T9G 那樣會在原型公司工作，但因為我與 T9G 已經認識了十年，知道他從事玩具行業，也覺得他的作品很好，就會想自己是不是也可以試試？開始的時候，我甚麼都不懂，主要是請教 T9G，例如我的第一個角色 Bamboo，就是我雕了一個大概的原型，然後就由

T9G 幫忙負責雕刻細緻位及生產。原來做玩具都幾有趣，我就一直做下去。這也是為甚麼我倆經常合作。

自己很喜歡怪獸類玩具，從小到大都很喜歡鹹蛋超人的怪獸，但大家做的怪獸都很兇猛，就會想自己是否可以做一些比較可愛的怪獸呢？請 T9G 幫忙做 Bamboo 的原型後，就想做一隻小小的可愛怪獸，也找 T9G 幫忙雕原型吧？但 T9G 跟我說：「不如你自己試做吧？」他給了我很多工具及材料，即使做好了，但不太懂得打磨，所以還是請求 T9G 幫忙。第二隻山椒魚怪獸 Byron 就出世了。想不到大家都喜歡，真的覺得很幸運呢！（笑）

D：最初自己接觸玩具行業，是因為設計師 Touma 當時出了一本作品集，展示自己做的搪膠玩具。我那時還在唸書，在書店買書有學生優惠，大家都買了藝術書，我卻不小心選了 Touma 的書（笑），打開一看，也不知道這是甚麼，不過當時心想，若果自己也能設計一個這樣的角色，也蠻有趣吧！

大學畢業後，大家都在找工作，但我想做玩具設計師，應該要怎樣做呢？是要自己出錢做玩具嗎？剛好我找到一間公司生產這類玩具，可以學習及賺取生活費，於是我就在這間公司工作了四年。這四年裡接觸了不同的創作人，以及相關的店舖，最初我以為只有 Touma 一個在做設計師玩具，原來很多人都在做。他們設計的作品都很好看，對這些玩具亦有更深的認識。四年後自立門戶時，事情很快就上手了。

自己有收藏玩具嗎？創作最受甚麼影響？

T：以前有儲玩具，但現在沒怎麼儲了。十多年前，我會儲很多 Michael Lau、James Jarvis 的設計師玩具，入行後就沒怎麼再儲了，間中見

Shoko 的山椒魚怪獸（Byron，右）常與 T9G 合作推出特別版 Rangeron。

到一兩件可愛的才會買。最近買了兩隻 Medicom Toy 推出的 KAWS Companion 玩具，算是近年買的設計師玩具了。

S：從小到大我都很喜歡日本超人的怪獸，但因為我是女生，所以不會主動去買，都是親朋好友送給我的，一直好好保存至今。自己有一段時間喜歡海綿寶寶，因為喜歡可愛的怪獸，但接觸了 Michael Lau、Eric So 的玩具後，才知道原來有一種叫藝術玩具或設計師玩具，開始對海綿寶寶失去興趣，還丟了一些（笑），後來也沒有特別去買 Sofubi。同行的人送玩具給我，我都會好好保存的。

D：我從小到大喜歡的東西都比較男性化，例如龍珠，有別於其他女性。自己儲了很多玩具，開始只是儲怪獸玩具，近來 Hot Toys、Star Wars 等等都很喜歡。上一兩屆的台北國際玩具創作大展，產品的價錢比日本的便宜，都會買一點，但不會如瘋狂的收藏家般購買。

可以分享一下你們的創作意念嗎？

T：我的設計概念是，在昭和年代小朋友看的特攝片怪獸，不像現在畫出來的，而是有真人穿著怪獸衣服。所以我設計角色的時候，頭部比較大，手腳比較小但可以動，因為我認為角色裡是有一個人在扮演。

另外，我的作品有個特色，就是所有玩具都會用上娃娃的眼睛。其他設計師的作品，眼睛可能是手畫的，我就全部用娃娃的眼珠，因為演員穿衣服扮演的怪獸通常都是這樣，這是我的特色。

S：我的概念是以可愛的生物來作為靈感，我覺得山椒魚很可愛，就會想去為此設計一個角色。其他設計師可能是從零開始天馬行空，但我不會，我是根據一個本身存在的生物加以改造，變成一件產品，例如 Bamboo 比較像貓頭鷹，第二個就是山椒魚。

D：一般怪獸如哥斯拉給人的感覺是很可怕的，但因為鹹蛋超人中有一些怪獸都是很平易近人、很友善的，我不想做一隻會把大家嚇走的怪獸，而是會予人朋友的感覺。我覺得自己設計的角色在大家見不到的時候會走出來活動。

你們怎樣看香港的設計師？

T：據我所知，這類設計師玩具最早是日本 Bounty Hunter 帶起的，一兩年後 Michael Lau 才出現。至於香港的設計師，我全部都很喜歡，十幾年前香港有 ToyCon，看到參展的香港設計師作品，我都很感興趣及感到很新鮮。

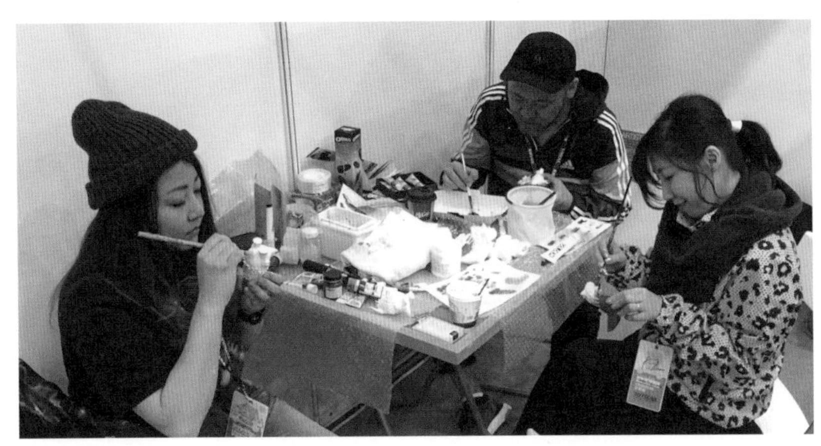

（左起）Dan Rie、T9G 及 Shoko Nakazawa 正在用心替作品上色。

S：其實我沒有太大概念，通常日本人買玩具是玩的，但香港人設計的玩具，可以一整套排列著就已經很漂亮了。

D：我一開始沒法分辨哪個是香港人、哪個是台灣人設計的，十年前左右我先認識 Touma，我問他哪些是香港人設計的玩具？在我開始知道的時候，全部都是 Michael Lau 的產品，總之談到香港玩具，就一定談到 Michael Lau，他就像是神級的人。到了現在，我都沒法分辨其他香港設計師的作品。

你們到過不同的地方展出，大眾對於你們的作品反應如何？

T：大家喜歡這些日本膠玩具的感覺都是一樣，沒有分哪個地方比較喜歡，但我現在感覺到，韓國及新加坡開始愈來愈多人喜歡自己的作品。去了那麼多國家，最捨得付錢購買的是泰國人。但我覺得喜歡我的作品的人，心情都是一樣的，沒有程度之分。

S：第一次參展是在台北國際玩具創作大展，已經有很多人買我的作品，所以我對台灣人的印象很深刻。香港 Fans 給我的印象是，其他地方的人喜歡，可能只是喜歡玩，但香港喜歡山椒魚的人，甚至會自己開專頁，我感到很窩心，因為其他地方的人不會這樣做。一直以來，泰國都沒有這類設計師玩具，是最近一兩年才有的；反而香港十幾年前就已經有了，只是最近熱潮又再興起，所以泰國的發展空間很大。

D：日本 Fans 的反應都是很普通的說可愛，就算不是很可愛都會這樣說，購買後就會離開。台灣人給我的印象是，大家都是有目的地去買，可能在 Facebook 或電郵裡詢問，這個款式有沒有貨，但當我答了沒有之後，他們就會再問另一件，目的可能是炫耀或者炒賣。之前我去了美國的 DesignerCon，玩家跟亞洲區的玩家的反應很不同，他們見到你的東西不是說很漂亮要買，反而是問製作過程或者概念，為甚麼你會做這些產品、你用甚麼顏料上色之類。原來美國人是這樣的。

你們怎樣看 ToySoul？

T：十幾年前的 ToyCon 反而有很多香港及美國的設計師，那時的香港人主要入場購買香港設計師的東西，甚至日本人都會專程坐飛機到香港買香港設計師的產品，那段時間可說是香港設計師最厲害的時候。近年的 ToySoul，因為大家都喜歡玩日本軟膠玩具，目光都放在日本設計師，而當年的焦點是香港人的產品。

S：之前沒有來過 ToyCon，但 ToySoul 有不同國家的參展商，感到不同國家的人都來了，今次的活動比其他地方的更加國際性。

D：日本、台灣的會場是一個位只做展覽，但 ToySoul 的會場竟然會有戲院？我覺得很新鮮。日本展覽時，threeA 都有參加，攤位是最大的；而在 ToySoul，每個攤位的大小都差不多，好像大家都是平等的。在日本參展時，展覽若只展出設計師玩具的話，就會整個場地都是這類型的產品；但在這裡我們賣的是設計師玩具，對面就是筋肉人，很多元化（笑）。而我在 SoulMart 擺檔，亦有機會見到其他地方的創作人。

呈現自己想法的就是藝術品

藝術玩具是甚麼？它與傳統玩具、藝術品有分別嗎？

T：平常的玩具是由動漫、故事去支撐，就算沒有故事、動漫的元素，目的也是吸引小朋友購買；藝術玩具則純粹是將自己的想法放到玩具中，而我將自己的概念放進自己的玩具。

藝術玩具與藝術品，都是呈現自己的想法，只不過是透過不同的媒介。我是透過做玩具去表達，其他藝術可能是畫畫、雕塑去演繹，藝術與藝術玩具是一樣的，只是媒介上的分別，能夠將自己的想法表達出來就是藝術。

S：我與 T9G 的想法大致一樣。但我覺得不論大人或小朋友，任何人只要將自己的想法表達出來已經是藝術，不一定是知名度高的人，將自己的想法呈現才是藝術。

D：我跟 T9G 及 Shoko 的想法都差不多，只要將自己的想法表達出來就可以了。普通玩具會用來玩、撞，或者對打，而藝術或藝術玩具就是用聚光燈照著，坐在一旁觀賞多於玩樂。

呈現精神世界

Facebook · nagamotomai

Instagram · mainagamoto / Website · mainagamoto.info

幼年開始繪畫創作，走自由風格，隨性創作，讓感情自然的表現於繪畫中，把每個人都有過的童年純真和天真無邪，還有隨著年齡的增長隱藏在內心的憂鬱，利用跟時下流行相反的、有深度的暗色調和造型來展開創作。

MAI NAGAMOTO

JAPAN 日本

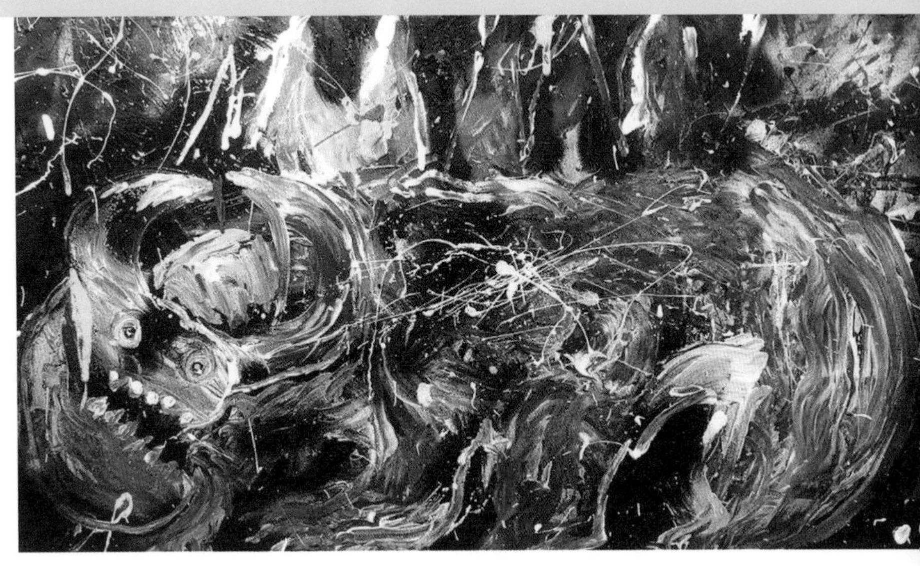

你是一位畫家，為甚麼會開始創作玩具？

我的藝術與小孩有密切的關係，這就是為甚麼我開始做玩具。此外，3D 作品可以觸摸和感覺。

可以談談你的作品如 Innocent & Core、NEA 的概念嗎？

NEA 是關於不完全性，是堅忍的象徵。Innocent & Core 是基於我從二〇〇四年開始的繪畫作品 *The Country of Kaiju and Children*。Innocent 則是基於不斷變動的情感中的天真和信念。這兩件作品都展現出一個精神世界。

你的作品是豐富多彩的，但你卻偏重使用深色。它表現出一種憂鬱和不快樂的感覺，但也帶著一種孩子天真的感覺。你想透過作品表達甚麼？

內在的心理世界。無限可能性。人的本質。

能跟我們分享你最喜歡的玩具嗎？

Terrible Whore 的 Fucking Four Fingers、T9G 的 Yumenoko、TkoM - Komuro Takahiro 及 Izumonster。

你的創作靈感是甚麼？

愛、恨、性，以及我印象深刻的東西。

你曾經跟香港的玩具創作人合作，例如 Kenny Wong、Louis Wong。你對香港玩具設計師有甚麼看法？

我十分尊重 Kenny Wong。我只遇到他幾次，但已經留下很深刻的印象。Louis Wong 是我最好的兄弟，我喜歡香港就是因為他。

你在創作過程中感到最幸福的是甚麼？甚麼是最令你感到沮喪的事情？

當我感覺與我的繪畫聯繫在一起，使我最幸福。這就像愛和性。我的兒子和我分開生活，我不能經常見到他。這是令我最沮喪的事情。

你的作品曾經在不同的地方展示，可以分享不同地方的人對你的作品有甚麼看法嗎？

關於我的畫，他們很驚訝。關於我的玩具的話，我就不知道了。

你未來的目標是甚麼？

過我想要的生活及繼續繪畫。當我變老的時候，我希望能夠成為一個能夠理解別人痛苦的人。

由消費者決定

你認為你的作品是藝術品、玩具還是藝術玩具？你對藝術玩具有甚麼看法？你認為藝術玩具與孩子的玩具、藝術品是不同的嗎？

這取決於每一件作品。有些是藝術品，有些只是產品。我對它是不是藝術玩具並不感興趣，這應該是由消費者決定它是藝術品、兒童玩具或藝術玩具。

你如何看待日本藝術玩具的發展？日本人對藝術玩具的反應如何？

我覺得「藝術玩具」不是藝術玩具，而是一種角色玩具（Character Toy）。大多數說「藝術玩具」的人都不明白甚麼是「藝術」。我認為村上隆或奈良美智的玩具就是「藝術玩具」。我認為日本人喜歡藝術玩具。

日本娛樂業，例如電影、漫畫等，發展得很蓬勃。政府相關部門如何支持藝術玩具的發展？

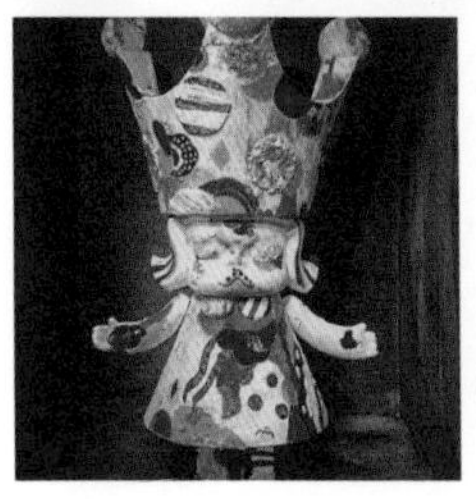

上：Mai Nagamoto 的作品旨在表達人的本質。
下：Mai Nagamoto 與不同的設計師合作，如 Kenny Wong（左）、T9G（右）。

一點也不。日本政府不支持任何東西，他們根本不在乎這些文化。

黑色幽默的可愛

Facebook · To-Fu Oyako（豆腐人）HK

Instagram · dvrb_sis / Website · devilrobots.com.hk

To-Fu Oyako 由 Devilrobots 的藝術總監北井真一郎（Shinichiro Kitai）創造，深受世界各地的潮人喜愛；此外，也曾與不同的創作人 crossover 推出產品，故事講述一對豆腐母子尋找失散爸爸的故事，非常勵志。

SHINICHIRO KITAI

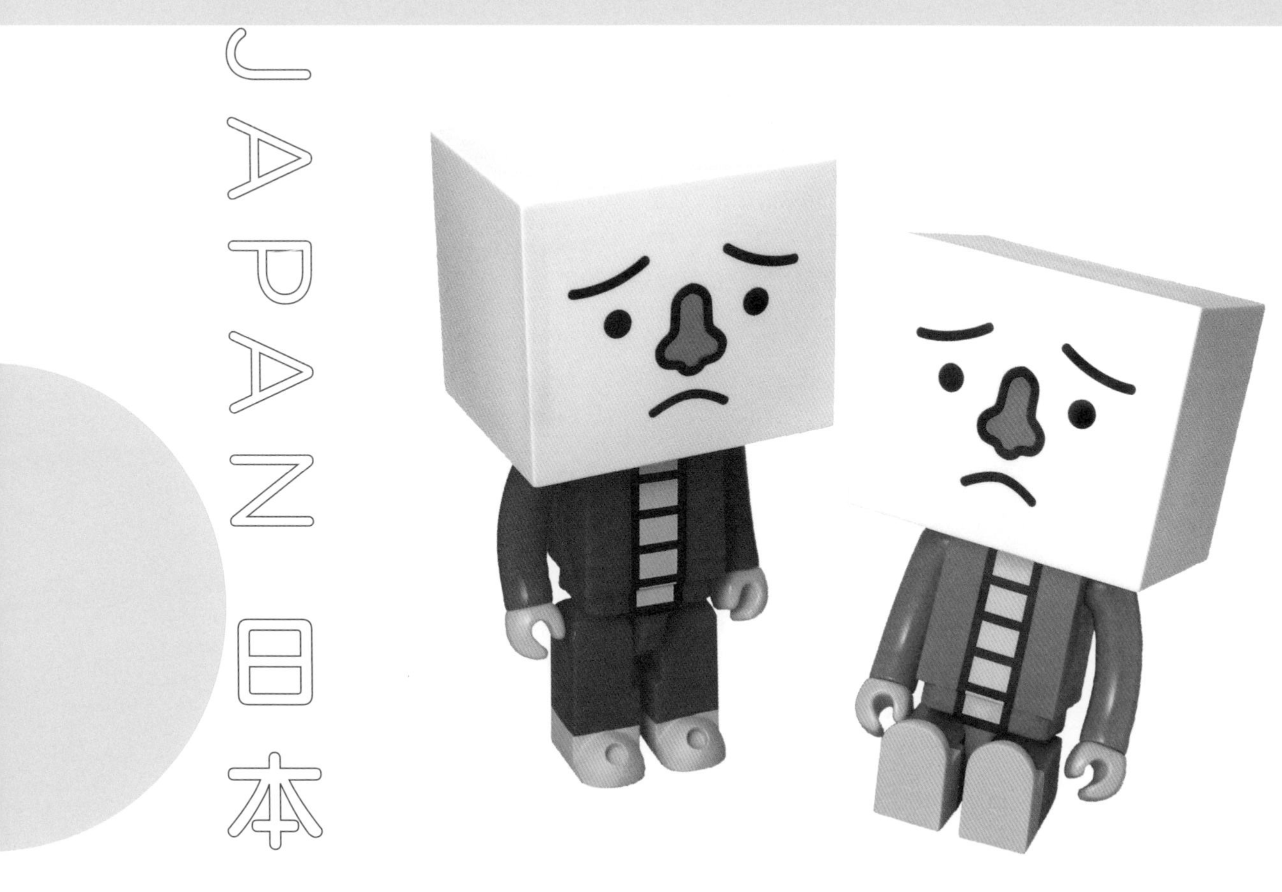

當初你隨手繪畫的豆腐人 To-Fu Oyako，是在日本一個創作人物角色的比賽中得獎而火熱起來；後來，你在一九九七年成立了 Devilrobots。To-Fu Oyako 開始時只有母親及兒子，總是愁眉苦臉的；在二十年後，才找到父親。後來因為得到 Fans 的支持，To-Fu Oyako 兩母子才開始展露笑容。你希望透過這個故事傳達一個怎樣的訊息？

你說的 To-Fu Oyako 的故事是對的。這是個母親和兒子尋找父親，最後大團圓結局的故事。在旅程中，他們去了不同的星球，遇到了各種各樣的豆腐，克服困難使他們堅強，最終找到他們的父親。

我想，這個故事的訊息是關於父母對孩子的愛及孩子的成長。

To-Fu Oyako 樣子可愛，但卻帶有一種壞壞的感覺，有時也會有一個淡淡

的哀傷。這似乎最初不是設計給小朋友的？創作背後的理念是怎樣？

To-Fu Oyako 最初是比賽作品，不是為孩子玩樂而設計的。至於他們有時露出悲傷的樣子，是因為他們總是很焦慮，擔心自己會跌倒而摔破。他們只是外表可愛，實際上也帶有一種黑色幽默的邪惡感。我認為，當每個人看到 To-Fu Oyako 都有不同的印象時，「黑色幽默」就是最有效的訊息傳達工具。之後，我得到了在 *IdN* 雜誌上畫兩張漫畫的機會，這就成了 To-Fu Oyako 的故事。

為甚麼之後想到要把插畫中的角色變成立體？

在 To-Fu Oyako 從平面發展到立體的時候，我在紐約有一個個人展覽，有機會展出十款 To-Fu Oyako 樣本，這些樣本是由 Medicom Toy 使用 Kubrick 材料製成的。然後，批量生產的絕佳機會來了，大阪製造商對樣本設計非常滿意。如果沒有這個偶然，我認為 To-Fu Oyako 的 Kubrick 系列將永遠不會成為現實。我的夢想之一，是將我平常繪製的 To-Fu Oyako 平面世界發展成嶄新的、每個人都喜歡接觸的立體世界，我也期望能夠得到立體 To-Fu Oyako 的新 Fans 支持。

你的創作比較多受甚麼文化影響？豆腐在日本是一種很常見及重要的食物，你是否參考了日本的飲食文化？

我現在的作品都受日本動畫和漫畫影響。

正如你所說，豆腐在日本是非常受歡迎的食物，就如在亞洲，也幾乎是全世界公認的健康食品，這可能是 To-Fu Oyako 順利獲得全球認可的理由之一。最近我們到各國旅遊，都可以見到日本餐廳，這種現象證明日本的食物可以吸引大眾。我很感謝「豆腐」的人氣，讓我覺得以日本受

豆腐人只是外表可愛，實際上有一種黑色幽默的邪惡感。

左：豆腐人與 BE@RBRICK 合作，推出 400% crossover 版本 Evil Bear。
中：豆腐是日本受歡迎的食物，豆腐人能吸引大眾目光。

歡迎的食物來作為一個角色是正確的。

To-Fu Oyako 本身也是四四方方像機械人的感覺，你喜歡機械人嗎？有收藏玩具嗎？你的興趣是甚麼？

在童年時期，每當母親給我一張紙和一支鉛筆，我就畫出腦海中浮現的圖像。例如我畫了一幅兩個機械人、英雄和敵人戰鬥場面的畫，並在英雄的駕駛艙中，添加了一個飛行員角色。我也記得我喜歡看電視動畫。正如公司的名字有「機械人」一詞，我非常喜歡機械人。

關於玩具，我收集了各種塑料機械人及超合金（Chogokin）機械人，例如永井豪的鐵甲萬能俠（Mazinger Z）。雖然我長大了，但是當我發現一件設計很好的玩具時，我也傾向於衝動購買。

北井真一郎喜歡機械人，所以豆腐人的頭部也有點像機械人。

我最近的興趣是看老玩具及尋找書本中有關我的作品的材料。此外，我也很喜歡喝酒。

靈感多數來自甚麼？當沒有靈感的時候，你會做甚麼？

長大後，我大部份的靈感都來自日常生活。在前往辦公室的路上，我可以不經意間看到各種廣告、時尚；從商店裡，知道智能手機、電影、商品及玩具的最新消息；從書店中，看到書籍的新圖像及設計。當我沒有靈感，我會做一些完全不同於工作的活動，例如喝酒、運動、散步、看書或者看跟設計無關的雜誌等等。

To-Fu Oyako 一向只是以公仔的姿態出現，但近期竟然成為了一個英勇的武士？為甚麼你會與 threezero 合作推出「漫畫家 FooRider x Devilrobot 豆腐人」系列的一比六 Action Figure「Samurai To-Fu」？

Samurai To-Fu 的意念得以實踐，有賴我的香港代理 SIS 的 Jack，以及香港創作人 Ultraman。

一直以來，雖然我都畫二頭身的 To-Fu Oyako 系列，但當我與 Jack 喝酒時突然想到，不如試試做非常有型的六吋 Action Figure 吧？至於我選擇與 threezero 合作，是因為我相信他們能夠重現 Samurai To-Fu 的世界觀。

我決定與大阪藝術家 FooRider 合作，因為他真的很擅長日本風的創作，我很高興他還畫了一個人物設計和一個極好的青蛙漫畫。

你覺得香港的設計師怎樣？

當我只是一位廣告設計師時，Michael Lau、Eric So 及鐵人兄弟在香港已經非常活躍，當然在日本也很受歡迎。我當時只是平面設計師，我對他們的立體作品感到很興奮。所以，現在我真的很高興能夠認識 Kenny Wong。他的世界觀每每令我感到驚訝，我知道他那種代表自己世界的力量必然是很優秀的。

我相信設計師玩具的世界是由香港設計師親手打造，所以包括我在內，世界各地有很多設計師都受到香港設計師啟發。

北井真一郎希望豆腐人能出現於生活的各個方面。

外形簡單的 To-Fu Oyako，跟不同品牌、設計師等 crossover 都會有新的變化。你期望豆腐人會像 BE@RBRICK 或 Qee 那樣發展嗎？你與 Qee 的設計師 Jaime Hayón 也是朋友，他對你的創作有影響嗎？

我想將 To-Fu Oyako 以畫布來呈現，因為它是正方形的，而且可以跟任何品牌、設計師和人物合作。

我在西班牙認識了 Jaime Hayón，我認為他的設計品味很有趣，相當佩服。每當我看到他在媒體上的作品時，我都會受他影響。當我得到一個跟他合作的機會時，我非常高興。

To-Fu Oyako 也推出了不同的周邊商品，成功滲透到大眾的生活中，你覺得要推廣一個角色，是否不能只靠出公仔？

對於任何創作者來說，最大的夢想是他們的作品能夠成為玩具，但讓他們感到更快樂的，是當他們的角色出現在許多生活用品中，創作者更能感受到被愛的時刻，就是當人們隨身攜帶著他的角色。

受歡迎的秘訣是，讓你的角色的生命盡可能延長。我認為這是最重要的方法。當你停止創作，或者你開始喜歡其他人物，你的角色生命就會終結。

個人將來有想要達成的目標嗎？

我的目標是，To-Fu Oyako 或 Devilrobots 創造的角色能夠令大家微笑。

人與人之間的溝通橋樑

你曾經說過「在現代社會中，玩具是人與人之間的溝通橋樑」，可以多談談這方面嗎？對你來說，玩具在日常生活中發揮了甚麼作用？

首先，人們會因為覺得這件玩具很漂亮或者很酷，而想要購買或渴望收藏，或者展示，然後他們會跟朋友和家人談論玩具，他們會一起欣賞，或者令到朋友或家人想要購買。這意味著人們可以通過玩具進行交流。

玩具對我的日常生活至關重要，每當我在家或在辦公室工作時，它們都會吸引我的注視。

你的作品曾在 Art Basel Miami 中展出。你覺得自己的作品是藝術品還是玩具？你怎樣理解藝術玩具這件事？你覺得它與一般玩具有何分別？藝術玩具與藝術品又有分別嗎？

我認為我的每一件作品都是藝術品。然而，當人們看到或觸摸到玩具之後，個人會產生不同的印象，玩具的意義將會改變為藝術品或只是玩具。個人來說，我相信透過對於玩具世界的想像，一件玩具會成為可接觸及玩樂的伙伴；但另一方面，藝術作品的展示也可令人享受及欣賞。

藝術玩具對你來說是甚麼？你最珍貴的一件作品是甚麼？

對我來說，藝術玩具是我職業生涯中創造出來的、必要的存在，而且對我未來的生活至關重要。我最珍貴的藝術玩具之一，可能是最初由 Medicom Toy 出產的 Kubrick Series 1 的 To-Fu Oyako。

你怎樣看藝術玩具在日本的發展？你覺得要推動藝術玩具發展，最重要的是甚麼？

一般來說，與前者相比，我們可以聽到藝術、設計玩具等關鍵詞。日本藝術玩具發

北井真一郎認為，藝術玩具要發展，就要不斷創造新事物並保持挑戰。

展的主要原因之一，是藝術品被炒熱，也如扭蛋般容易得到，在此之後，我看到喜歡藝術玩具的人數上升。

我認為促進藝術玩具發展的最重要因素之一，是創造新事物並保持挑戰。通過新技術，例如 3D 打印，我猜想製造商或創作人，將會更多地嘗試去實現自己的想法。

最近 Sofubi 這種物料很受歡迎，你怎樣看待 Sofubi 的發展？

我認為日本的 Sofubi 玩具非常受歡迎，新一代創作人發展各種設計的 Sofubi 是好事。

不僅 Sofubi，超合金或塑膠模型也一直在發展，而那些曾經在童年時期玩這些玩具的人加入成為玩具製造商，並生產他們想要的玩具。這些事情也令到日本的 Sofubi 得以發展。

日本的娛樂事業，例如電影、漫畫等，都發展得很蓬勃，政府部門會支持藝術玩具的發展嗎？

我不知道日本政府是否會支持藝術玩具的發展，但是在「酷日本」的行動下，應該包括動漫及漫畫，因此我認為玩具也會佔一份的。

呈現出玩具的生命力

Facebook · instinctoy
Instagram · instinctoy_hiroto_ohkubo / Website · instinctoy.net

他非常喜歡玩具，每天只想著關於玩具的事。於二〇〇五年成立 Instinctoy，以玩具收藏家的角度，希望製作出令顧客滿意的玩具。他認為跟世界各地的人透過玩具交流、共鳴，就是工作中的意義。

大久保博人

約在十六年前，聽說你受到 Medicom Toy 社長赤司竜彥的啟發，開始踏足玩具業界，那是因為 BE@RBRICK 嗎？二〇〇五年你成立了 Instinctoy 售賣玩具，後來在二〇〇八年，為甚麼會想開始製作原創角色的玩具呢？

這個故事要從我年少時期開始說起。我原本就很喜歡畫畫，十歲時家人就讓我學，也因為這樣，從小到大我就有一個夢想成為「設計師」。當時十多歲的我，也不知道要成為哪種設計師，但我還是一直學習畫畫及設計方面的東西。我曾經參加一個專門給美大及藝大受考生的畫畫補習班，在高中生的班級裡，當時我才是小學生就去補習了，也因為太早補習的關係，周圍的人都嚷著「將來一定會是東京藝術大學！」而當時我也就開始朝著東京藝術大學為目標，很多人經過五、六年重考也不一定會考上的。而我也住在關西比較鄉下的地方，畫風及評價的標準也都跟東京大學考試的標準不同。所以在我十九歲時，就轉校到了關東的預備校。

在重考的過程中，我在書店無意間看到《Figure 王》的雜誌，廣告欄上記載了 Medicom Toy 於二〇〇一年發表的 BE@RBRICK Series 1，看到廣告時我有強烈的感受。當下第一次知道，世界上原來不只是小孩子，就連大人也會收藏玩具。當時我被這個世界觀吸引，也開始我收藏玩具的方向。BE@RBRICK 是一個契機，Medicom 發表許多其他玩具也非常吸引我，我收藏了很多玩具。而其中最吸引我的玩具類型就是「軟膠」。

當時，在 Medicom 以外，時尚的設計公司及香港公司都有推出很多軟膠公仔，我也曾經在店門口及展覽徹夜排隊，只是為了買玩具。在許多收集的玩具中，我都有自己的一套美術相關知識及感覺，我會覺得「如果這個分件這樣做的話就好了」或「這裡的塗裝，若加強設計一下就好了」、「如果是我，我就會這樣做了」、「想要做這樣的軟膠公仔」，那時開始我就有一個從收藏者轉變成製作者的意識。

為了考上東京藝術大學，我重考了三年，在第三年（即二〇〇二年）我不去考試，而創辦了網路販售「Premium Toy Net」，「想賣一些特別的玩具」就是這個理念讓我開始我的事業。之後三年，不斷學習玩具業界的流動形態及市場狀態，在二〇〇五年成立了 Instinctoy。然後又經過三年摸索玩具製造，並確立了事業的方向，二〇〇八年終於發表了我個人第一件首創作品「inc（インク）」。這個由來就說到這裡，因為文章

大久保博人與 Kenny Wong 推出 Erosion Molly。

已經很長，若繼續下去都可以出一本書了。

為甚麼喜愛用日本軟膠作為材料呢？這種物料對創作有甚麼好處？

Instinctoy 的生產據點在中國，但有一些金屬模具是在日本做的。日本生產的魅力只有在透明的材質上而已，在日本可以生產出透明並且堅硬的材質，在中國愈透明的產品就會愈軟，沒辦法做出硬度高的透明軟膠

自家出產的 Mini Vincent。

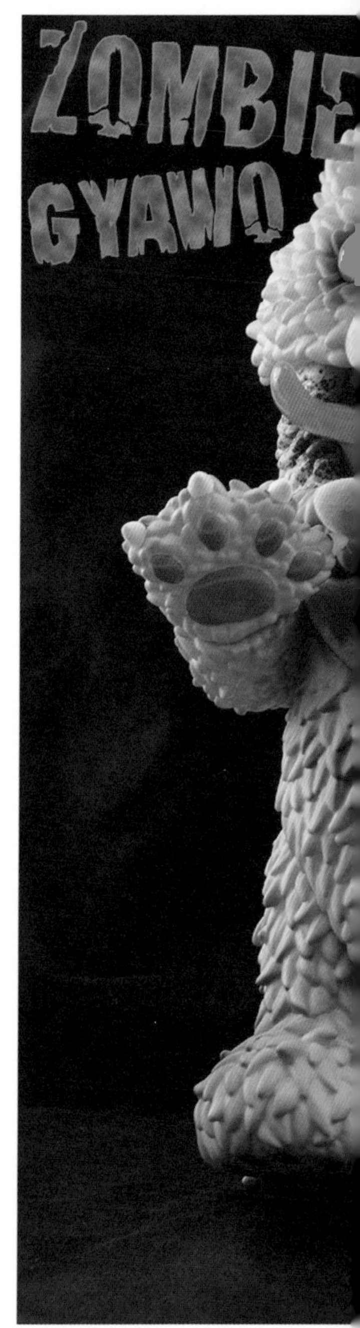

公仔。我認為日本生產或者中國生產，最大的不同就是在這點而已。

你曾經說過想製作「觸碰人心」、「與人連結」的作品，你認為怎樣的作品才能做到？在你創作的每一件玩具中，最基本的意念是甚麼？

一開始在製作原創作品時，就是「自己一定要想要！」要有這樣的想法才可以繼續製作。好比說製作了一百件，連一件也賣不出去，那麼這一百件作品可以擺在房間裡，賣不出去也好，可以獨佔我的房間，類似這樣對自己作品的愛，意味深長呢！但我賣的不管甚麼作品，都全部賣光。在賣的作品愈多，我愈能夠跨越國境及語言的障礙，讓各地的粉絲開心。海外的粉絲更在我參加海外展覽時，特地來機場接待我，會請我吃飯，還會幫忙於展前的準備，像這樣熱心幫忙的粉絲非常多。就是這樣靠著作品，人與人之間產生共鳴，產生新的機遇及友情，與人的連結就會更深。而透過 Facebook 和 Instagram 更容易跟各地的粉絲交流，可以聽到客戶更多的意見和感想。而且參加各地的展覽時，還可以跟他們見面，所以我希望可以製作令他們開心的作品。我會聽取很多人的意見，關於設計及尺寸，又或者喜歡的怪獸或動物種類，然後用我的世界觀去設計出獨特的形態。這樣的作品既可以讓客戶開心，也會讓 Instinctoy 有無止盡的創作意欲，每天都進行製作。

左：自家出產的 Zombie Gyawo。

右：跟 Mai Nagamoto 合作推出的 Innocent，嘴裡噴出的彩虹粒粒非常堅實。

你對於細節很執著，有時還會加上特別的配件，譬如將膠眼珠換成水鑽，很多時候因為細節上的小問題，而要重新製作作品，譬如 King Korpse 中的胸骨，因為分模線沒有消去而重新再做，亦增加了成本，為甚麼那麼重視細節？可以談談其中一次遇過最艱難的經歷嗎？

老實說，Instinctoy 做的玩具都是困難的作品。而且我還要堅持自己的意思，就連工廠有時候也不喜歡且拒絕製作我的作品。但我沒有放棄，因為我很在意客戶，我是以一個玩具收藏家的立場去製作，不管再怎麼喜歡的設計師作品，購買後第一次打開箱子時，第一眼看到的感覺會永遠存在。當然這也包括了瑕疵品，這是因為工廠的技術不足或者預算不夠所產生的設計問題，沒辦法達到自己想要的追求。因為技術上的原因或者部份修改的關係，讓販售價格高出很多，但是若在意獲利變少而不改善的話，對於一間公司來說，會展示其低端的狀況。瑕疵的地方，比如說有十個人發現，但是真的會出聲抱怨的可能只有一個人，其他九個人就是雖然不開心，但是不表明。但是不表明的客戶，下次不會再購買的情況比較多，所以不能抱持沒有抱怨就等同沒有問題的想法，感到有問題的地方就要改善好。我覺得自己是對 Instinctoy 有高要求的人。

二〇一四年或之前，Instinctoy 都是請原型師利用「黏土製作」來設計原型；二〇一五年開始，你們聘請了一位專門設計 3D 製圖的原型師，你曾經說過「點子的成形速度及準確度，還有品質都完全改變了」，你覺得 3D 打印會取代原型師的角色嗎？

黏土與 3D 繪圖沒有關係。外面的原型師與社內的原型師只有一個不同，我想那就是「一直重複修正的頻率」。請外面的原型師製作時，需要有正確的四面圖且細部的設計也要明確，在構造上及可動部位都要一起討論，才會知道製作費的預算。這個製作費的估價，是關係到難易度及製作的日數。但是我最近的作品，每次製作都會不同，看到立體呈現的模型後，可能會改變很多設計，或者產生新的點子，這樣要反覆測試及重新設計，實在是看不到盡頭。當然，這不是在說我優柔寡斷，是我一直想要製作更多有趣點子的作品。像這樣的形式，製作期沒有限制，且每次改動後都要重新報價，然後完成作品之前，都要跟我的世界觀相合的人，老實說應該不會有這種原型師存在，而且還要真的找到一個有好技術的人就更加困難。但是現在跟我一起工作的 3D 繪圖師，不管多少次改動，或者很大的設計變化，就算需要很多測試及檢驗都不會抱怨一句，跟我的世界觀非常相合。當然薪水是每個月固定發放的，所以也不需要報價的程序。能夠理解我的世界觀，也會製作出我畫的設計，擁有相當高的呈現技術，對我來說，Ringo（即社內 3D 製圖原型師）就是最棒的伙伴。

你比較喜歡製作一些能玩的玩具，譬如手腳可以活動、可以更換身體部件、隨著環境而變色，甚至有一款混入了巧克力香料，藏著小小的趣味在其中，玩樂性較高而非單單是擺設，這與你小時候喜歡的玩具有關嗎？可以分享一下你收藏的玩具嗎？

小時候我喜歡《七龍珠》的塩ビ人形（PVC 公仔），它是一百日圓的扭蛋，這公仔完全沒上色就像是素體，其中我特別喜歡強化版的「クロスアップ」，就是可以穿衣服、戰鬥服或者是配戴偵查器。還有其他像是「ネクロスの要塞」及森永公司的食玩「ドラゴンクエスト アベル伝 」公仔，我也喜歡收集。裝載武器及道具，還有橡膠人偶上會裝水鑽，也許我現在的玩具製作也在追求當時我非常喜歡的。

你創作的玩具，在用色配搭方面都花了很多心思，譬如很多層的重複上色，讓整個有獨特的色澤，也會加入高級的塗料，譬如鈔票所使用的防偽塗料，表現出高級感的光澤，或者加入會受紫外線改變的顏色，你尤其喜

歡夜光塗料。為甚麼在顏色方面有那麼多考慮？

Instinctoy 的玩具中，我最追求的就是「色彩的美」。之所以會有藝術家玩具這個名稱，我覺得就是由設計師製作，然後可以很開心作為擺設的作品。藝術品跟高級的傢具，是以陶瓷或者金、玻璃、鑽石等為材料，突顯出高級感。但是我們的是屬於在「軟膠」這個分類，我會將這種素材比喻為畫布，盡可能用「塗裝」表現出它的美。所以，塗料及漸層的搭配，以及光澤感，我也要徹底的設計，一直在努力及研究搭配的方式，希望讓玩具可以像藝術品一樣讓客人開心。

你在製作玩具的過程中，經常強調要有真實感。玩具是想像力的東西，但你又著力表現真實感，在想像力與真實之間，怎樣取得平衡？透過真實感去表現想像力是你製作玩具的重點嗎？

我覺得再被改造的作品，其中一定要有真實感，才會讓作品有「生命感」。一般的商業角色通常都是由動漫開始，讓角色出名後，才做成公仔或者娃娃。但是我們做的玩具就是從立體的作品開始。譬如說，Instinctoy 的公仔，那些水滴滴下的樣子，整個比例及角度，重力的推測還有動作，都是我們設計時需要參考的要素。King Korpse 的心臟 Liquid Heart 就是屬於改造及真實之間的設計。我們在實際上不存在的空想角色中，配合現實的真實設計，就可以呈現出這樣活生生的魅力。

靈感多數來自甚麼？自己比較多受甚麼文化影響？

我對於建築設計非常感興趣，其實我的辦公室也是我設計的。假如我不是玩具設計師的話，我一定會選擇當建築師。我覺得可以令到玩具活著的舞台就是一個空間或者建築物。在水泥上放上怪獸公仔，經過打燈後，這件作品看起來就會很厲害。所以我在創作新的作品時，不只是做

King Korpse 中的胸骨，曾因分模線沒有消去而重做，可見大久保博人十分重視細節。

新的東西，重要的是思考要擺在哪裡後才設計。我會去看我自己喜歡的建築物，想像「若在這裡擺放著這樣的公仔」一定會很帥，然後想像「那會是怎樣的造型呢？」來啟發製作的形狀。

玩具是甚麼？

我把自己的興趣當作事業，在我的人生裡佔了絕大部份，很難以一個答案說明，這是一題相當有難度的題目。但是，我可以這樣解釋，玩具就是「可以跟世界上有相同感性的人相遇」。在 SNS（Social Networking Site，社交媒體）的地方公開新作品，世界各地的人都點「讚」，給我留言。不只是原創作品，他們也喜歡我收藏的玩具。「玩具」的共通點以外，其他像是國籍、性別都不同，但是卻可以有像朋友一樣的交流。這樣的往來，是我覺得在這事業中得到的意義。跟世界上擁有相同感性的設計師能夠一同合作創作作品，是一件非常開心的事情。今後我同樣地會製作更多玩具，並且繼續收藏玩具，期待跟世界上不同的朋友交流。

未來有甚麼想要做的事嗎？

現在我有一個新的 Instinctoy 工作室正在建設中，在那邊還會導入 3D 打印機，還有可以上色的塗裝室。可能大家對我的印象比較多是設計師，但是當我進入這個業界時，其實我主要的工作是塗裝公仔。我在年少時就一直學畫畫，當然畫圖也是蠻上手的。我想在新的工作室每天畫畫跟塗裝公仔，也就是說這個地方在未來也有可能變成一個我與其他設計師共同活動的場所。

將來，在我的工作室附近，也希望建造一個玩具工廠。希望未來 Instinctoy 的玩具從設計到生產及上色，可以包攬全部工程，自己販售自己生產出來的玩具是我的夢想之一。

你們有跟其他設計師合作推出玩具，可說說挑選合作對象的準則嗎？

我這樣說感覺好像是很高傲的，但我不是這個意思，這沒有一個基準，只是我個人的喜好而已。當然我都很尊敬所有跟我合作的設計師，也非常崇拜他們。這裡所說的「崇拜」，就是他們有我沒有的技術及設計的靈感，只要我感受到他們的藝術跟我的感性融合的話，製作出我一個人沒有辦法做出的魅力作品時，我就會對他們提案合作。

Instinctoy 不只售賣玩具、製作自家原創玩具，也會替其他公司或品牌製作玩具。為甚麼會有如此多元化的地位？

Instinctoy 是從網路販售開始的，但是現在玩具生產已經變成主要的事情了，之前我也販售過很多不同品牌的商品。而因為販售了很多不同的玩具，這個玩具販售的基盤（底子）是很完備的，我也相信我在小型玩具店的領域也相當專業。我會引進世界中具魅力的玩具，也會自己製作作品，以玩具製作商的立場跟很多設計師共同創造作品，當然也想販售。不只是賣玩具，因為共通感性的關係，這種賣自己喜歡的玩具的風格，讓 Instinctoy 就像是究極的精選店。

你曾經與 James Groman、T9G 等設計師合作。在跟其他玩具設計師合作

的過程中，一方面要保留對方的風格，另一方面也要創造出自己獨有的風格。在這個過程中，曾經遇過很困難的事嗎？可以跟我們分享嗎？

James 跟 T9G 均是我非常喜歡的設計師。他們的玩具，就算去排隊也想要買，如果買不到也想辦法用更高的價錢在二手拍賣的地方入手。這兩位都是很優秀的設計師，也是原型師，但不是玩具的生產商。如果他們也擁有製作商（工廠），就可以充份地發揮出他們的世界觀，那我一定會是更瘋狂的粉絲。所以我才以玩具製作商的身份，希望能夠製作他們的作品。

在製作 King Korpse 時，James 對我說，「我們來合作這個作品吧！」當然身為粉絲及設計師，這個邀請我感到非常榮幸。但比起 James 跟我的特色混在一起，粉絲們一定更想看到 James Groman 的終極新作吧！以粉絲的立場而言，我把我的 Liquid 侵蝕風格藏在心臟，用胸骨封印起來。T9G 的作品也是一樣，我想要有更精密的 T9G 作品！以這理念，盡可能保留他們的風格，然後繼續製作他們的新作品。

你也曾經跟香港設計師如 Black Seed Toys 的 Kenneth、大豆芽社長的 Chino Lam 合作，你的 3D 製圖師也是香港人。你覺得香港的玩具設計師怎樣呢？

香港現在也擁有許多不同文化，大家都知道不只是設計師在香港設立製作據點，世界上很多高品質的作品都在香港製作。我以製作商的身份一直在業界中活動，我覺得要保持好品質，最重要的就是「生產管理」。而且香港可以直接坐地下鐵或者轉車的方式去到工廠，不需要乘搭長途飛機，所以生產管理的部份才能夠如此徹底，造就了很多香港廠商及設計師的厲害商品。有這麼好的條件，優秀且具感性的設計師，若徹底執行生產管理的話，不就超強的嗎？

跟 T9G 合作推出特別版 RE-RET，大久保博人強調要盡可能保持創作人的風格，而且做得更精緻。

Black Seed Toys 的設計師 Kenneth 先生，還有大豆芽社長的 Producer Clinton Kenny，我對他們的印象都是長跑工廠的。自己的作品會用手做，製作到寄送的工程都會負責到底，這種風格跟我的 Instinctoy 有點類似。當然我也相當喜歡他們的作品，我也有跟他們合作，他們的創作風格讓我真心的尊敬他們。

沒有辦法量產的作品

你認為自己的作品是藝術品還是玩具？你怎樣理解藝術玩具這件事？它與傳統玩具、藝術品有分別嗎？

我覺得設計師玩具跟一般的玩具差別很大。其中一個差別就是「為了特定的族群而製作的作品」。一般的玩具是以年齡層和性別為基準而製作的，是為特定的人而販賣的量產品。設計師作品，是以設計師本人的世界觀去形成的，而只賣給跟這個世界觀有共鳴的人。藝術品的話，我認為是設計師本人花了很長時間親自用手製作的作品。也就是說，我覺得這三個類別的差別就是「生產數量」。再怎麼好的藝術品，若供應了比需求還要多的數量時，就愈沒有價值。要讓設計師玩具成為藝術品的領域，是需要挑戰沒有辦法量產的作品。在未來，我也想要製作一些不會被模仿也不能量產的作品。

你怎樣看藝術玩具在日本的發展？政府支持藝術玩具方面的發展嗎？你覺得藝術玩具發展的因素是甚麼？

近幾年，日本國內的軟膠界也出現了很多年輕的設計師。但是設計師玩具目前在日本的認知度還是不高，還有很大的發展空間。政府的支援跟指示完全沒有。我覺得日本的玩具文化是利用「動漫」向世界傳遞的，而設計師玩具並沒有這樣的方式。但是，日本還是會舉辦玩具展，結合了動漫跟設計師，只是不像海外的設計師玩具，會專門舉辦展覽。在日本國內我感到很可惜沒有這樣的展覽，但市場每年都有擴大，我想應該是愈來愈多人注意這領域。在九十年代，鐵人兄弟及 Michael Lau 當時爆發性地走紅，香港也捲起了玩具潮；而之後日本國內也有設計師及廠商陸續誕生，我相信也可以有設計師玩具的發展。我期待 Instinctoy 成為這樣爆發性的公司。

你的作品曾在不同的地方辦展覽，各地大眾對於這些原創玩具的反應如何？有針對不同

大久保博人追求「色彩的美」，突顯出高級感；他更希望玩具可以「跟世上有相同感性的人相遇」。

的地方去生產不同的顏色或風格嗎？

雖然說同樣是亞洲的四個展覽，但每一個國家都有他們的特徵。首先是泰國，每年的設計師玩具都帶有熱烈的印象。二〇一五年在 TTE（Thailand Toy Expo）中，我非常驚訝，在展覽開始前就有二百多人排隊。二〇一六年的展位空間比二〇一五年大兩倍，我們計劃有更多的商品展開及活動。新加坡的 STGCC（Singapore Toy, Game & Comic Convention），在動漫展中設立一個區位專門給設計師玩具。因為新加坡這個地理位置，讓鄰近的國家，例如泰國及馬來西亞等的設計師都會前來參加。二〇一五年，我也參加了香港 Angel Abby 主辦的小型展覽，所有商品也賣光，會場也非常熱鬧。今後，希望各國繼續舉辦這樣的展覽。然後就是台灣，約十年多前我的首個個人作品於海外販售的展覽就在台北國際玩具創作大展。雖然是首次出展，但是台灣的客戶非常熱情的接待我，我還記得，當時帶去的商品全部賣光，也讓我更有信心，後來幾乎每年都會參加這個展覽。我在台灣特別多朋友和相識的人，是我非常喜歡的地方。

每一個展覽，主要都是 Instinctoy 的原創作品販售，依會場的規模及大小還有販售的空間為考量，然後調節販售的方式及數量。說到展位的形狀，台灣的展位空間很廣，販售的商品還有其他新作品都可以好好擺設展示，讓客人也相當開心。

呈現粗糙的美

Facebook · Yukinori Dehara
Instagram · deharayukinori / Website · dehara.com

生於日本高知縣，喜歡啤酒及吞拿魚。每年除了製作約三百件 Figure，開辦四至六個個人展覽，自言主食是「啤酒」。曾於台灣、香港、巴黎、紐約及洛杉磯舉辦展覽。

DEHARA YUKINORI

JAPAN 日本

你是怎樣開始創作玩具的？

我沒有製作玩具的感覺，但是我原本的作品有部份像玩具和玩物。我的第一個 Sofubi 產品，是一個名為 Vanimal Zoo 的系列，由 Sony Creative Products 於二〇〇三年銷售。

你的作品很奇怪又有趣，它很能夠令人開心；而有時，也帶有性意味。你想透過作品傳達甚麼訊息？

許多事情正在我生活的世界中發生，雖然我不會將這些事情直接反映在我的作品中，但它們會自然而然表露出來，例如 LGBT、經濟、戰爭等問題。對我來說，所有作品都一定要很有趣。

看來你喜歡用女性身體（特別是乳房）、奇怪的打工階層、動物和無家可歸的男人作為主題。為甚麼？

我對很多物品都很感興趣，我想做讓我感到有趣的作品。所有這些主題都跟日本的形象有少許重疊。

在展覽中，你會用自己的身體畫畫。身體對你的意義是甚麼？

我通常最後會在桌子上完成 Figure 和繪畫。我在現場繪畫（Live Painting）期間會釋放我的身體。

你收集玩具嗎？可以跟我們分享你最喜歡的玩具及愛好嗎？

我小時候很喜歡收集玩具和塑膠模型、食玩中的玩具、卡片、貼紙。現在我有時候也會買喜歡的創作人的 Sofubi 和畫作，比起玩具展，我更多時候在畫廊的藝術家展覽中購買。

創作靈感來源是甚麼？當你缺乏靈感，你會做甚麼？

從電影、新聞、喝酒派對、遇過的人、收音機中獲得。我的生產理念並不複雜，所以總有一些我想做的東西。

Dehara 喜歡在作品中呈現裸體，自由奔放，有一種怪異又可笑的荒誕感。

左：靈感取材自日常生活，呈現日本的另一種模樣。
右：最令 Dehara 沮喪的事情是不能喝酒！

剛開始時，你用粘土做作品，似乎想表達一種「粗糙的美」。後來你轉而使用 Sofubi 來創作，為甚麼會有這樣的變化？

人們只可觸摸我的粘土作品，但不能玩。Sofubi 可以觸摸和玩樂，所以我覺得老式日本的 Sofubi 很酷，就開始製作了。我在二〇〇四年遇到可以生產 Sofubi 的人，也是誘因。

在創作過程中，讓你感到最幸福的事情是甚麼？最令人沮喪的是甚麼？

我很高興人們來看我的展覽，臉上掛著笑容，以及購買。最令人沮喪的是，當我很忙時，不能去喝酒（喝酒也跟我的創作有關）。

為「桂浜水族館」設計的おとど。

你知道香港的玩具創作人嗎？你對香港的玩具創作人有甚麼看法？他們對你有啟發嗎？

對我而言，最棒的明星是 Michael Lau，我認為他是第一個讓 Figure 變得酷，而不只是御宅文化的人物。

你的作品曾在台灣、上海、香港和日本等地展出，不同地方的人對你的作品有甚麼反應？

約四年多前開始，不同國家中都有很多人喜歡 Sofubi，愈來愈多客戶想買而不只是欣賞，可以見到排隊的情況。作品中有趣及可笑的部份，在所有國家中都是一樣的，我喜歡看到人們看著作品標題發笑的樣子。

帶著玩具四周拍照也是 Dehara 的興趣之一，有女性胴體、街邊流浪漢、平凡上班族、奇怪生物等。

我不在乎

你的作品是藝術作品、玩具，還是藝術玩具？你對藝術玩具有甚麼看法？你認為藝術玩具與兒童玩具、藝術品有何不同？

我不在乎我的作品是藝術產品（a Product of Art）、玩具、室內裝飾品，或作為 Instagram 的模特兒。我認為小型的 Sofubi 也可以作為小孩子的玩具，他們也知道它與麵包超人和迪士尼玩具不同。而孩子長大成人後，也許仍然會喜歡。

如何看待日本藝術玩具的發展？日本人如何對藝術玩具作出反應？

愈來愈多人做 Sofubi，收藏者也增加了。這是非常令人鼓舞的，而且，似乎類似的作品也增加了。

電影、漫畫等日本娛樂業發展良好。相關政府部門如何支持藝術玩具的發展？

日本政府很少對 Sofubi 創作人喝彩，藝術家也不要求幫助，政府還不知道 Sofubi 創作人已經蔓延至全球。我希望在成長地高知縣推廣 Sofubi 的角色。

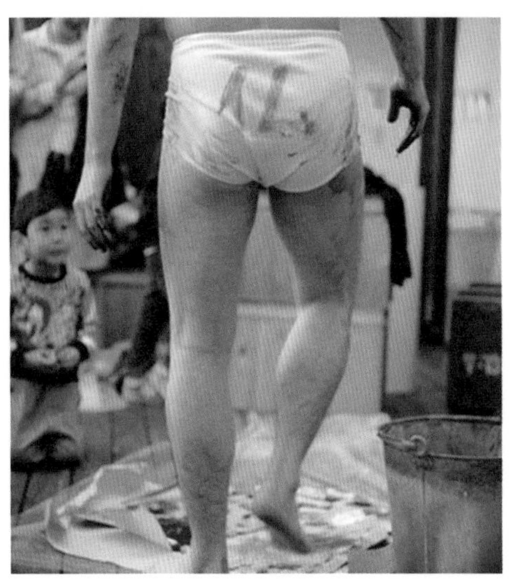

Dehara 脫光衣服，以身體作現場繪畫。

將來的目標是甚麼？

我想繼續做，直到死，而且希望賺到的錢夠喝酒。

致力培育新一代設計師

Facebook · Coolrain Lee
Instagram · coolrainlee / Website · coolrainlee.cafe24.com

韓國知名玩具創作人，成名作是於二〇〇七年創作的 Monsterz Crew 系列。他於弘大的綜合藝術及設計空間 Sangsangmadang 教授製作藝術玩具的技巧，致力培育新一代玩具設計師。

COOLRAIN

KOREA 韓國

你曾經是一位理科學生，後來受到大友克洋的《阿基拉》（*AKRIA*）啟發，學習製作 2D 動畫，但發現難以製作自己的動畫。其後受《反斗奇兵 2》（*Toy Story 2*）的影響，希望利用 3D 技術來創作屬於自己的立體角色，於是開始學習 3D 動畫。之後又受添布頓（Tim Burton）的 3D 動畫啟發，對製作公仔感興趣。進程是這樣嗎？可以談談為甚麼當時執意要做自己想像中的角色？

最初，當我看動畫 *AKIRA* 時，我就想做一個 2D 動畫，但我沒有主修跟藝術相關的科目，因此繪製動畫需要更多時間。一九九五年，完整的《反斗奇兵》電影已經發行，這套電影令我對 3D 動畫更感興趣。《反斗奇兵》之前，當我看《超級無敵掌門狗》（*Wallace and Gromit*）、添布頓的《怪誕城之夜》（*The Nightmare Before Christmas*）等，我已有很大的興趣。我的興趣愈來愈大，它驅使我製作自己的動畫，所以我開始創作動畫的 Figure。

二〇〇四年你開始實驗性地製作公仔。你的第一個系列是二〇〇七年推出的 Monsterz Crew，為何當初一開始已經選擇做十二吋 Action Figure？

當我第一次創作時，我的主題是關於霹靂舞（B-Boys）。我對定格動畫（Stop Motion）十分感興趣，而通過 Figure 去表達舞者的動態是非常重要的，因此我開始創作十二吋 Action Figure。如果我有機會的話，會嘗試製作定格動畫。

你很注重作品的細節，是否受到大友克洋細膩的畫風影響？

我的作品其實是受到他的超現實主義和對完美的執著所影響，而非其設計。他在一個訪問中曾經談及，如果其中一個場景包含了這個建築，他可以通過想像打開閣樓的門。

你的作品以擬真度高見稱，譬如人物的配件、衣服等，你也堅持全手做，十分細緻，但十分費時，也因此沒法量產。通常每件作品由構思到完成，大約要用多少時間？為甚麼會堅持手做？可以說一件你覺得製作方面最困難的作品嗎？

這取決於我創造的角色，實際上需要一個星期到一個月才能完成，有時

上：Coolrain 的首個系列 Monsterz Crew，以 B-Boys 作為主題。

下：Coolrain 的 NBA 系列。

候甚至需要一個多月。如果我決定正常狀態的設計，需要十五到二十天，再加上衣飾的細節，總計達一個月才能創建。我喜歡自己手做，並用它創建原型。

你的公仔似乎都要符合人體比例，譬如一比六、一比四、一比三。為甚麼？這跟你追求細緻、精準有關嗎？

它不包括任何具體含義。一般來說，藝術玩具是非規模的，但是如果我創建動作人物，或者如果情況是不可避免的，我將配合配件或道具進行精準競賽。

你有一個 Trigonal 系列，似乎是受到 3D 動畫製作的影響。可以分享一下這個系列的概念嗎？

我的 Figure 作品中，有一個以三角形為主題的系列，而 trigonal 這個詞是「三」和「多邊形」的組合詞。我的起點也是源於 3D 動畫製作，因為所有傳統繪畫和物體都有其表裡的結構，假如我看到一件物件，我總會把它視作一個多邊形。這就是為甚麼我開始創造三角（Trigonal）系列的原因。我的系列作品中，亦包含所使用多邊形的數量，例如 Bubba Chuck 的真正三角名字是 Tri2001，而 Nike 是 Tri5034。

你在動手做玩具之前，會對構思中的角色做很多研究及調查，為甚麼調查是重要的？

我的座右銘是「你只能看到你所了解的」。而且，調查能為作品提供更多的想法，更充份地表達自己的個性。如果我選擇這個概念，我就會開始研究我的創作意念。例如有幾個人在兒時喜歡看籃球，但喜歡和創作籃球 Figure 是兩回事。我去研究籃球運動員，去閱讀他們的傳記和他

作品 Breaktime，寓意每個人都需要休息時

們的職業生涯，實際上並不會直接有助於創作 Figure。但是，我會更熟悉這些運動員，令創作能夠更加生動。

你曾經說過，創作前首先要想想自己想說一個怎樣的故事。在你創作的每件作品中，背後想向人們傳達一個怎樣的訊息？

我始終認為概念是最重要的。技巧和描述能力可以通過努力和時間改善。我的第一件作品 Monsterz Crew，以及打籃球的猴子 Dunkey 系列，旨在傳播他們的文化。最近的創作我也嘗試把訊息放在其中。例如，Breaktime 系列源自「每個人都需要休息時間」這句口號；Redbull Stratos 系列有著「超越限制」的意味；而第一個三角（Trigonal）系列 Bubba Chuck 亦想帶出「忙裡偷閒」的意思。

你覺得如何為一個公仔注入生命與靈魂？

我的大部份作品都是取材自真實人物。我會把他們的特徵加以強化，讓人們能夠透過這些 Figure 去自然地感受到他們的精神。我嘗試簡化角色的個性，著眼於他們的飾物、運動鞋和衣服，使更活靈活現。而且我正在創造跟我同一個時代生活的人物。

可以談談你自己的興趣及喜歡的角色嗎？你的創作比較受哪種文化所影響？

我的愛好是收集漫畫，其他藝術家的玩具和藝術書籍。我開始收集 *AKIRA* 相關的漫畫、動漫，以及 Figure，因為大友克洋是我最喜愛的導演。我也在收集 Tim Burton、Stanely Kubrick、Ridley Scott、Moebius、George Lucas、Ralph McQuarrie、Mike Mignola 等幾款作品。我也喜歡 Cyberpunk，譬如是 *AKIRA*、*Blade Runner*。我喜歡科幻電影，也喜愛 Pixar 和 DreamWorks 動畫的 3D 製作。我總會想像真實的

Coolrain 的座右銘是「你只能看到你所了解的」，製作前的調查能為作品提供更多想法。

人化身成為 2D 或 3D 動畫裡的人物，我想用我的技巧去創作科幻系列。

你有一些作品會從身邊的朋友取材。你的靈感來源是甚麼？當沒有靈感的時候，你會做甚麼事？

我的創作主題總是基於人類與肖像，並致力展現他們的精神。我會透過跟相識的設計師討論電影或動畫而獲得靈感，也會在創作人身上得到啟發。當然，認識更多新朋友也是激發創造力的方式之一。

你覺得香港的設計師怎樣？

早在二千年初，香港的藝術玩具引起了我的興趣。在我看到添布頓的作品《怪誕城之夜》之後，我的慾望就驅使我用自己的雙手去創造

Coolrain 喜歡科幻電影，想透過自己技巧去創作科幻系列。

Figure。在二〇一〇年，我在 The Toy Chronicle（TTC）認識了 Kenny Wong、Paul Leung 及 Winson Ma 等人。我認為這些玩具藝術家非常努力地推動藝術玩具文化，我十分敬佩他們。

你沒有正式在學院中學習藝術創作，基本上都是從自學得來，而且你亦是一個很有紀律及很勤力的創作者，你覺得創作最重要是甚麼？是努力嗎？

在二〇〇〇年，韓國並沒有本地的藝術玩具家，因此我只能自學如何創造 Figure。那時我非常焦慮停滯不前，但幸運的是，我的創作還能持續至今。我的創作重點是主題本身，去決定我該創作甚麼內容是最重要的。我的創作會取決於時間，因為時間多寡限制了我可以做多少研究。但是製作 Figure，還是需要很多時間和精力，所以即使主題很精彩，如果我不能完成這件作品，一切也會變得毫無意義。

二〇〇四年開始創作至今，你已經從事公仔創作達十四年之久，當中曾經遇過最大的挑戰是甚麼？有想過要放棄嗎？是甚麼原因讓你堅持創作至今？

我遇過最大的挑戰是我正在進行的項目，我一直都是這樣，當我投放所有的精力去當前的工作，下一個計劃就會自然地出現。而我從來沒有想過放棄，因為我還是對創作 Figure 有很大的野心。

個人將來有想要達成的目標嗎？有想過把自己的公仔製作成動漫嗎？

我的理想是用自己創作的角色做一個展覽，展示我的 Figure 公仔、繪畫和動畫。

創作人是未來發展關鍵

你覺得自己的作品是藝術品還是玩具？你怎樣理解藝術玩具這件事？它與一般玩具有何分別？藝術玩具與藝術品又有分別嗎？

過去許多人稱我的作品是設計師玩具，但最近卻開始稱之為藝術玩具。我的作品有時更接近玩具，有時更接近藝術，這取決於人們的想像和既定思維，但「藝術」更注重作品的表達、訊息和意義。我做的三角（Trigonal）系列就更接近藝術方向。

藝術玩具是甚麼？藝術玩具最珍貴的地方在哪？

十多年來，我一直醉心於創作藝術玩具，它亦成為了我的生命。藝術玩具最重要的地方，是可以讓人們真實地了解其背後的故事和意義。這是藝術玩具的必要因素，也是它讓人著迷之處。

Coolrain 直言，藝術玩具已成為了他的生命。

韓國有很多優秀的設計師，但似乎韓國的市場仍在起步中，大眾對於藝術玩具還沒有太多認識。你認為這個說法對嗎？這麼多年來，情況有改變嗎？你怎樣看藝術玩具在韓國的發展？Art Toy Culture 在推動其發展扮演著怎樣的角色？

左：Trigonal 系列，源於 Coolrain 創作玩具的出發點是 3D 動畫製作，他認為所有傳統繪畫和物體都有表裡結構。

右：Trophy Musinsa-Nike 也是 Trigonal 系列其中的作品。

在二〇〇〇年代，當我接受數間雜誌採訪時，他們多次問我，「應該如何推動韓國藝術玩具產業呢？」我總會回答這個產業剛起步，需要一步一步拓闊它的基礎。因此在二〇一〇年，我開辦工作室推廣教育藝術玩具文化，目前擁有七百多名學生。但這並不代表韓國本地的玩具產業已經成熟。在我看來，要發展韓國的藝術玩具產業，我必須保持更多地展示自己，教導更多的學生，並接受採訪。此外，這個過程雖然更加耗時，但我會繼續努力令藝術玩具文化在韓國出現。

韓國的娛樂事業如電影、漫畫等，都發展得很蓬勃，政府部門會支持藝術玩具的發展嗎？

幾年前，主要娛樂界別開始對藝術玩具感興趣。韓國的娛樂事業正在快速增長，但他們對藝術玩具的興趣非常短暫，因此我必須做出令人印象深刻的作品，並成為榜樣。另一方面，當韓國的娛樂事業正在冒起，也可能會令到藝術玩具同時冒起。

你一直致力培育新一代玩具設計師，譬如在你的工作室內有四五名玩具設計師；而自二〇一〇年起，你一直在弘大的綜合藝術及設計空間 Sangsangmadang 教授製作藝術玩具的技巧，很多學生成為了新生代的藝術玩具設計師，如 UpTeMPO 及 Kiddo，他們也帶了學生去參加台北國際玩具創作大展。為甚麼培育新一代年輕玩具設計師是重要的？推動藝術玩具發展的主力是靠教育制度嗎？若果不是，你覺得要推動藝術玩具發展，最重要的是甚麼？

教育下一代學生非常重要，要不然，這意味著藝術玩具行業沒有前景。在二〇〇〇年初，我在教授一門關於藝術玩具創作的課時，沒有一個真正想成為藝術玩具創作人的學生，但現在已經有很多學生都努力成為藝術玩具創作人。我不知道教學對促進藝術玩具的發展有多大影響，但我認為玩具創作人是未來發展的關鍵。

現時 3D 打印技術日趨成熟，手工製作會被取代嗎？ 3D 打印將會怎樣改變公仔製作？

二〇〇〇年初，一件藝術玩具僅能由手工製作，但最近 3D 打印不斷擴展。雖然這取決於設計，但我認為 3D 造型和打印將在藝術玩具行業中擴展，因為它比手工生產的速度更快。而且由於 3D 打印能減少生產時間，許多創作人將專注於設計。

CH 2.8

造型簡單但意味深長

STICKY MONSTER LAB

成立於二〇〇七年的多媒體創意工作室，成員來自不同背景。SML 並不只專注於玩具創作，同時亦創作動畫、短片、周邊產品等，探索各種創作的可能性。其角色外形簡單、樣子可愛，背後通常帶有一個意味深長的故事，反映了現實生活中的黑暗。

Facebook · stickymonsterlab

Instagram · stickymonsterlab / Website · stickymonsterlab.com

KOREA 韓國

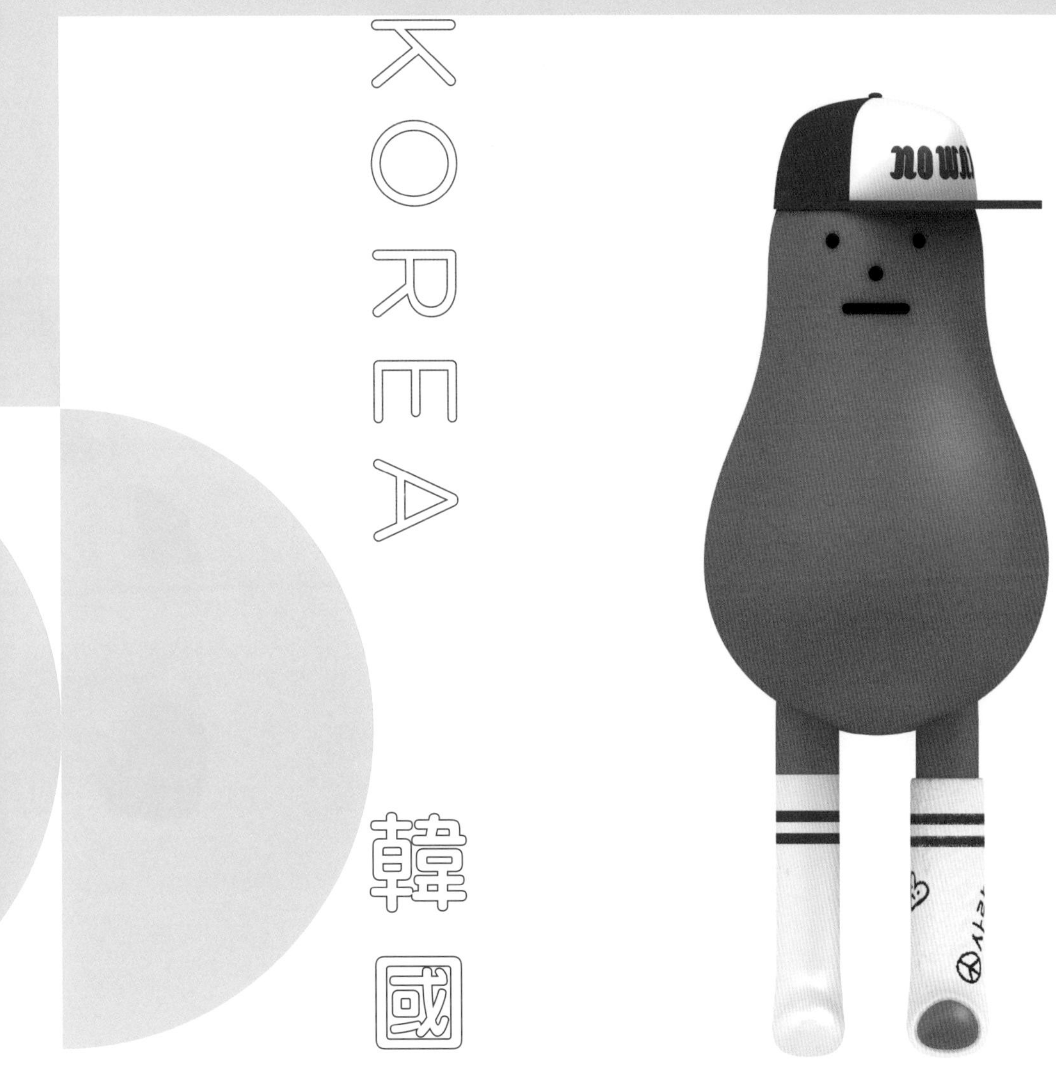

Sticky Monster Lab（黏黏怪物研究所，SML）成立於二〇〇七年，是一個多媒體創意工作室（包括動畫、平面設計等）。究竟是如何開始的？為甚麼會如此「Sticky」？

當初我們選擇「Sticky」時，並沒有特別意思，只是每個成員各自隨意選擇一個名字，就砌成了 Sticky Monster Lab（黏黏怪物研究所）。SML 初期由動畫師崔林（Fla）及自由插畫師夫昶朝（Boo）創立，二人均任職廣告公司，因為工作關係而認識。二人為了做自己想做的事，而離開了廣告公司，創立 SML。

崔林及夫袘朝籌辦第一個展覽時，發覺除了動畫 *The Monsters* 外，還需要展出雕刻作品，於是二人尋找適合的 Figure 雕刻師。後來在網絡上認識了姜仁愛（InAe，前身為雕刻師），姜仁愛也加入了 SML 團隊。 經過了幾次成員組合後，目前 SML 共有四位核心成員，包括崔林（總監）、夫袘朝（總監）、姜仁愛（項目經理）及 Yeo Jun Young（市場總監）。

為甚麼 SML 創作出啤梨形狀的怪獸角色？這不是常見的怪獸，是你們心目中的怪獸嗎？

崔林和夫袘朝設計 Monster 時，並沒有賦予固定的形狀，覺得每個人的性格都可以用不同的形狀如圓形、正方形，甚至三角形去比喻，所以設計 Monster 時，也把這個設計概念放進去，利用簡單而鮮明的形狀突出各個 Monster 的性格。

SML 的作品玩味很重，並且展示了城市的眾生相。尤其是 The Father 及 The Loner、No War 系列，很令人感動，可愛的角色背後都有一個意味深長的故事。而在 No War 系列中，你們推出了獨腳角色，當人們願意捐款給慈善機構，就可以獲得另一隻腳及特別版的腳，很有意義。你們怎樣去構思這些故事及角色？

崔林和夫袘朝按照現實生活去設計 Monsters 及其世界，因此角色也是所接觸到的人物的性格反映。二人希望能夠真實地呈現悲喜交織的日常生活。

SML 一直在拓展作品的界限，譬如平面設計、動畫、產品設計、影片等，從玩具的角色延伸出各種不同的周邊商品如枱燈、襪子等。為甚麼 SML 希望推出日常生活產品，而不只是專注於玩具製作？你覺得怎樣的作品才吸引人？

SML WARS/SS 001，全球限量手做十件

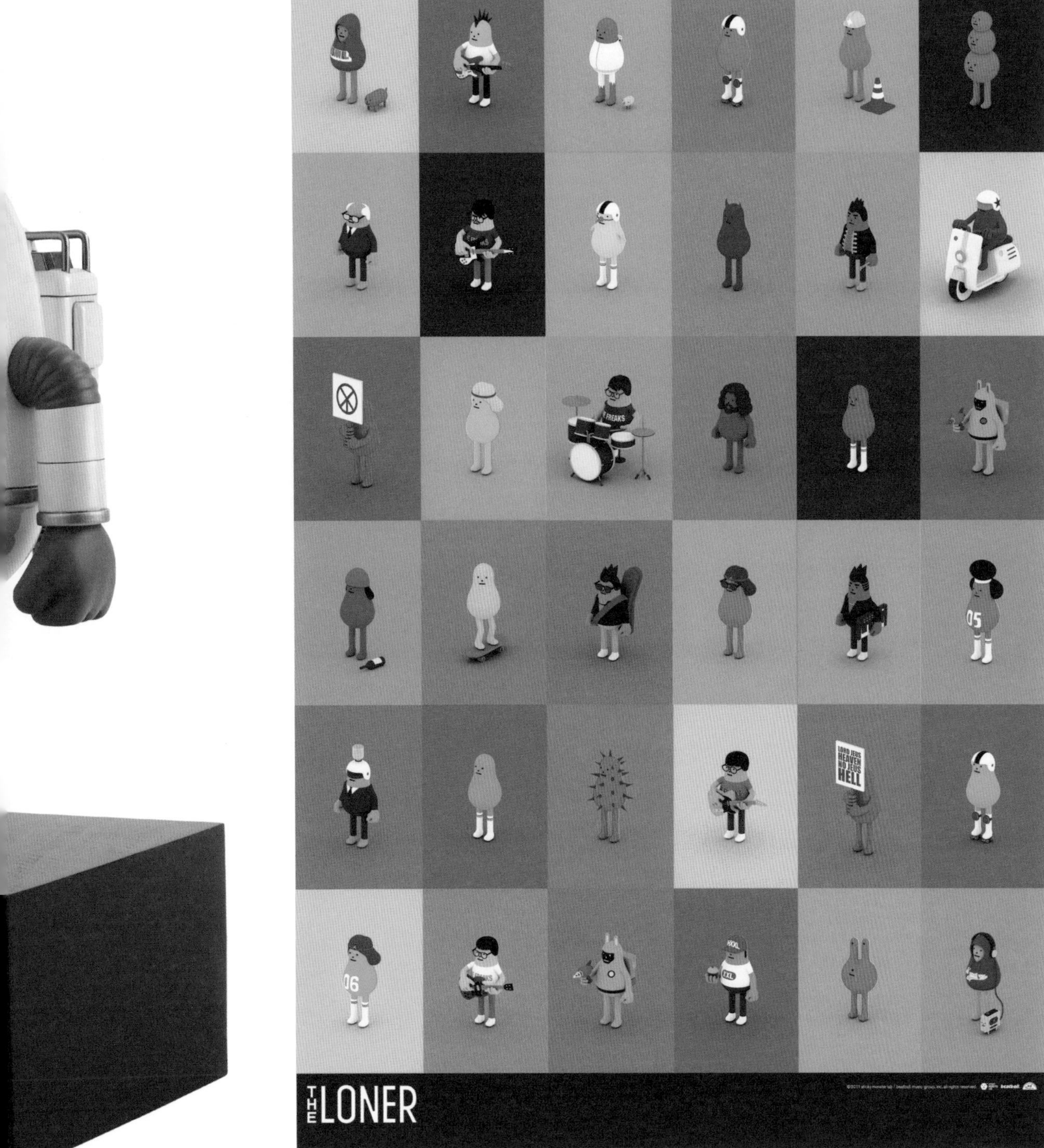

The Loner 系列，講述城市人的孤獨，不只推出了玩具，還有繪本、唱片、海報、明信片及書套等周邊產品。

左：看到 SML 的作品，你可有共鳴嗎？
右：The Loner 中的一幕，縱然色彩繽紛，但也感到淡淡的哀傷。

玩具只是我們最初想開發的種類，但也不希望局限了我們的創作媒介。我們對於設計生活用品很感興趣，因此創作了具實用性的產品。 我們覺得，作品吸引人的關鍵是多樣化。

怎樣看現時不同地方的玩具展呢？

每次參加展會，我們都像參加嘉年華一樣，可以跟粉絲會面，也可以跟不同的藝術家及設計師交流。

你們會收藏玩具嗎？最影響你們創作的是甚麼？

崔林和夫昶朝是藝術玩具的收藏者，現在他們都已經是父親，會購買玩

具給自己的孩子。崔林和夫昶朝的設計靈感不是來自其他的設計作品，反而是一些跟設計無關的事物。

你們怎樣看香港的玩具創作人？

我們年輕的時候，香港已經是全球最大的藝術玩具市場，出現了很多傳奇性的藝術玩具創作人，他們至今仍活躍於這個行業。我們不但向他們學習藝術玩具創作，也向他們了解商業方面的事情。

在創作過程中，最高興的是甚麼？最感到挫敗的又是甚麼？

我們大部份時間都工作得很愉快。不過有時我們會遇到一些人，本身不是設計師，但又「扮」設計師的時候，我們就會覺得很奇怪。

SML 認為，作品吸引人的關鍵是多元化。

將來有甚麼目標嗎？

我們最重要的項目是「SML EXPO : Sticky Monster Lab 10th Anniversary Exhibition」（SML EXPO : 黏黏怪物研究所十周年展），我們往後也會繼續創作出好的作品。

藝術品的其中一種媒介

藝術玩具是甚麼？它與傳統玩具、藝術品有分別嗎？你會覺得自己的作品是藝術玩具嗎？

我們覺得藝術玩具是藝術品的其中一種媒介，可以讓更多人接觸藝術品。藝術玩具跟我們平時接觸到的玩具也不同，藝術玩具是具有原創性的。

你怎樣看藝術玩具在韓國的發展？大家對原創玩具的態度如何？

藝術玩具在韓國處於起步階段，目前藝術玩具收藏者不算很多，藝術玩具的概念也說不上非常流行。

韓國的娛樂事業如電影、漫畫等，都發展得很蓬勃，政府部門會支持藝術玩具的發展嗎？

據我們所知，目前韓國政府並沒有專責提供資助予藝術玩具從業者的部門。我們生產第一件藝術玩具 M-series 時，曾經獲得首爾市政府資助部份製作費，不過這個資助是予生產角色的周邊產品。

SML 認為，藝術玩具是具有原創性的。

透過角色反思社會意義

Facebook · Raktang
Instagram · imotj

玩具創作人，以鮮艷的色彩、曲線和音量表現出可愛人物中的社會意義。創作毛骨悚然、奇怪又可愛的人物，為讓你不僅可以通過純粹和直觀的角色回顧自己和周圍環境，還可以用充滿愛的眼睛反思你的世界。

RAKTANG

你是怎樣開始玩具創作？

其實我本來想製作玩具，而不是成為插畫師。我五歲開始收集玩具，最初是收集 Happy Meal 的玩具。我也喜歡畫畫，但是我一直把重點放在玩具製作上，創作範圍相當大，從粘土玩具到球型關節的 Action Figure。當我高中第一次接觸 Frank Kozik 和 Tara McPherson 的藝術作品時，引起了我對製作藝術玩具的興趣，這確實令我著迷。從那時起，我開始研究和收集其他藝術家的作品，並想成為一個創作藝術品及玩具的創作人，於是我開始創作玩具和畫插畫。當我向觀眾介紹自己，我不會說自己是插畫家，而是玩具創作人。

你的作品主題「Adult Who Cannot Become Adult Forever」很有趣，可以談論主題背後的想法和故事嗎？他們不是不願意長大，但是心智上不能成長，有點難過。你想通過作品傳達甚麼訊息？

在「Adult Who Cannot Become Adult Forever」中，我試圖描繪一些雖然身體上已經成長，但由於腦部疾病而不能自理的人。每個角色象徵著「好奇心」（男性）和「害羞」（女性）。這樣的角色讓你不僅可以回顧自己和成長，還可以通過愛與憐憫的角度去反思當前的世界。

這是我的角色的主題。對我而言，周圍有很多殘疾人士，我曾經有一位密友，他的身體有很多方面都是殘疾的。即使現在，我仍有很多朋友在身體和精神上都有殘疾。我從來沒有用奇怪的眼光看他們，但是我周圍的人對他們的看法是截然不同的。在技術上，所有人或多或少都有病，這只是我們是否感知到的問題。我的所有角色都是成年人，但行為上像小孩。這使得人們感覺場面與現實之間有一些差異。同時，它引起了大家對這些天真無邪的生物的愛或感情。我希望人們用愛和同情心對待他們的鄰居，就像他們對我的玩具角色一樣。

男性角色代表好奇心，女性角色代表害羞。為甚麼會有這個設定？

這可能是關於男孩和女孩最常見的概念之一，特別是在我所屬的東方社會。事實上，我不認為人的性格是完全由性別塑造的。雖然性別的區別建構了我的基本框架，但我會做出一些改動，例如男孩們有時會變得比女孩更害羞更懦弱，而女孩則變得比男孩更強大更富好奇心。在我期望的角色版本，男孩甚至會玩及抱著 Teddy Bear。當我的作品一直發展下去，我會嘗試打破這種刻板印象。我的最終目標是模糊男性和女性之間的界限，從而以平等觀點來看待兩性。

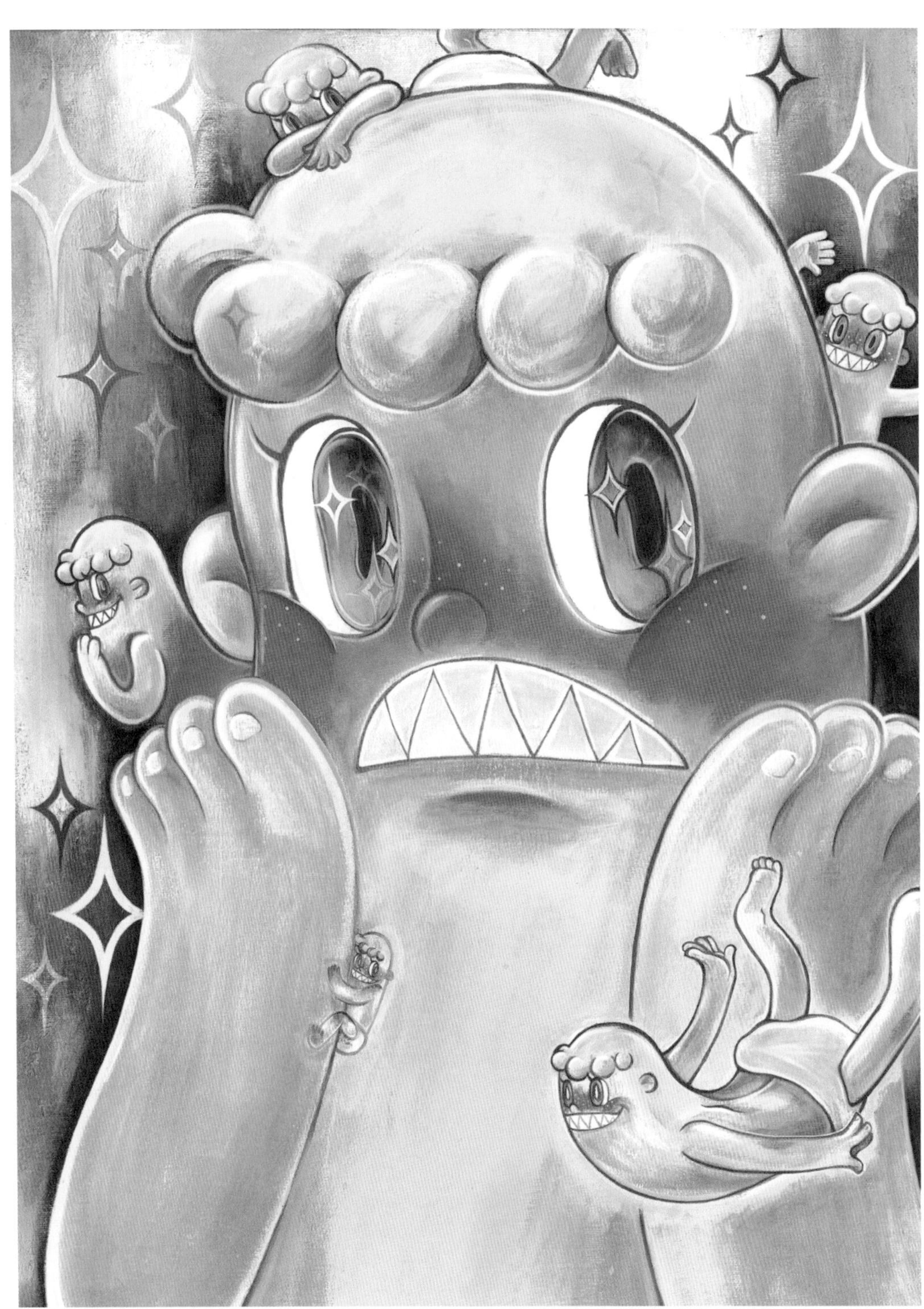

Raktang 希望透過角色設定，模糊男性和女性之間的界限，以平等觀點來看待兩性。

你的產品似乎是自己手工製作的，為甚麼不在工廠大量生產？

我喜歡手工藝。作為本科生，我沒有錢生產。由於我的玩具都是手工製作的，實際上比那些大量生產的玩具更昂貴。由於手工製作需要很長時間，因此生產的數量相當有限。因為數量少，價格昂貴，真的很可惜不是很多人能購買我的玩具。我希望能夠向更多人展示我的玩具，但我必須繼續我的手工製作。

你的作品的主要材料是甚麼？為甚麼選擇這種材料？

我通常使用環氧黏合膠泥（Epoxy Putty）製作原型。本來我用的是低溫陶泥，但它沒有樹脂膠般堅固，容易破碎，不太適合我的作品。而複模，我主要使用樹脂，因為它夠硬及堅固，而且易於表達細節。

你收集玩具嗎？跟我們分享你最喜歡的玩具，以及有甚麼愛好？

當然會。我必須收集比我這一代任何藝術家更多的玩具，我喜歡的玩具叫 Gom-jeong，是我人生中第一次得到的玩具。因為我是雙胞胎的第二個孩子，故想要一個弟弟或妹妹。當我這樣向媽媽要求時，她給我買了一隻 Teddy Bear 作為我的兄弟姐妹，這也是我最喜歡的玩具。在我的收藏品中，我喜歡 Scott Tolleson 的 Bella Lee，它不僅線條精美與堅實，我更喜歡它一臉自信；此外，這個也花了我很長時間才能獲得。至於愛好，我喜歡看戲劇和音樂劇。

Raktang 作品多以手工製作。

你的靈感來自甚麼？在你看來，甚麼文化影響你最多？你似乎喜歡日本動畫如美少女戰士，你是否喜歡日本的可愛文化？

不僅是它的圖像和形式，而是其哲學也對我的作品有巨大影響。事

Raktang 在展覽中展出改裝 Kenny Wong 的 Molly。

實上，我與 Cartoon Network 和日本動畫一起長大，當我還是小孩，Cartoon Network 在韓國還未普及，我已經習慣擁抱全世界不同的文化。現在我喜歡各種次文化，如日本和美國的動畫、童話、Hip Hop、Punk 及時尚等等，我相信我的玩具融合了各種各樣的感覺。

然而，最大的靈感就是書本和戲劇，即使它們有類似的主題，也採取不同的方式去表達。事實上，每場戲都會因場地不同而有所不同。我因為喜歡戲劇而參加了一個劇團的演出。我喜歡各種戲劇，其中我最喜歡娃娃戲。我從來沒有忘記老師的話，這就是：「即使它們死了，人類仍然呼吸。然而，娃娃可以描繪完全死亡。」因此，娃娃戲給我的公仔帶來了很大的活力和生命力。基本上我著迷於它的一切，包括對聲線的掌控、動作、故事等等。我最喜歡的劇院是法國的 Royal de Luxe。

我也喜歡閱讀書籍，當戲劇以視覺效果、動作和偶然性啟發了我；書籍為我注入了很大的智慧、想像力和哲學。我最喜歡的書籍是《德米安》（*Demian*）和《變形記》（*The Metamorphosis*）。

作品 Get Ready For The Next Battle，寓意女英雌也可以穿著性感服飾為自己的夢想而戰。

誰影響你的創作最多？

我仍然受到來自各種藝術的藝術家所影響。最初影響我最多的是村上隆、Tara McPherson 及 Hikari Shimoda。最近，影響我最多的人是自己。回想最初，我缺乏信心，很自卑。然而，通過我的作品，我意識到想表達甚麼，從而更好地了解自己。依《德米安》書中的說法，我正在試圖啄破我的蛋殼，並向前邁進。這聽起來有點傲慢，但對於像我這樣的藝術家來說，堅強的內在自我也是非常重要的。

你如何看香港的玩具創作人？

我參加了台北國際玩具創作大展兩次，遇到很多香港藝術家。我意識到他們的作品跟韓國藝術家的作品有很大的不同。此外，還遇到一些藝術家一直堅持自己的作品。我認為藝術玩具界中，最困難的是保持一致性，我只做了一年多的時間，在這方面，我還有很長的路要走。而香港藝術家不斷將個人歷史放在作品中，我從中學到很多東西。就個人而

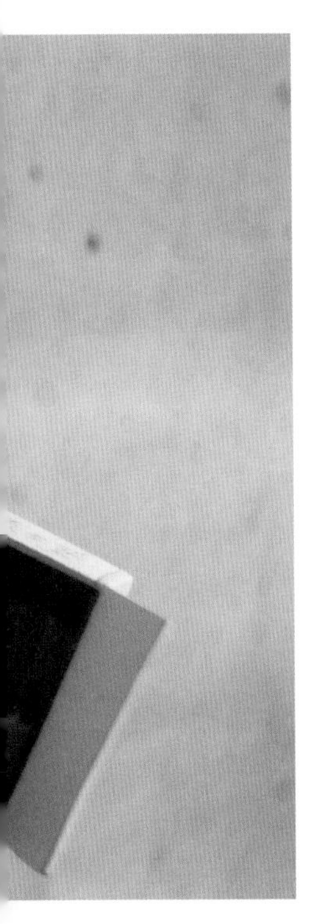

言，我喜歡 How2work 的產品，其中我最喜歡 Kila Cheung 的作品，他的用色和表達方式令到作品本身就是藝術品，而不僅僅是將角色轉化為玩具。

在創作過程中，你感到最幸福的是甚麼？最令人沮喪的是甚麼？

最令人愉快的事情，就是擁有好同事及從粉絲中得到積極的反應。展示作品後，我遇到最大的挑戰就是讓粉絲喜歡我的作品。在二〇一五年台北國際玩具創作大展首次亮相後，直到下一場活動之前的四個月，我變得坐立不安。然而，我仍然能繼續工作，因為自展示了星球大戰的項目後，很多人表現出對我的作品感興趣。這是我一生中最大的動力。

迄今為止，我一直跟 Gray Smith 團隊合作。而我今年也跟製作 Zipper Rabbit 的 Eloise Kim 共同參與台北國際玩具創作大展。在這方面，我期待我們產生的協同效應。此外，二〇一五年我去了歐洲，跟很多玩具藝術家見面，他們給我帶來了很多資源和啟發。事實上，認識好人，並共同成長，是一個人生活中最大的喜悅。不過最令人沮喪的，總是我的財務狀況，這是因為沒有地方可以融資。我總是設想出各種各樣的項目，涉及巨大或更複雜的作品，但實際上並不容易發生。作為一個學生，無論是創作和參加活動，也構成了巨大的財政壓力。此外，我所有的作品都非常耗時，在這方面，每當我要調和我想要做的事情，我總會感到沮喪。

你的作品曾在不同地方展出。公眾對你的作品的態度是怎樣？

我認為人們會從我的作品中獲得獨特的感受；奇怪的是，那些喜歡我的作品的人，似乎也有類似的感覺。還有一群人，看完故事後就成了我的粉絲，我非常感謝他們。由於我參與博覽會多於藝術展覽，所以我

Raktang 對於各種創作媒介持開放態度，自由地向群眾表達我的想法。

得到一些積極的反應，因為那裡的群眾主要是狂熱者。在你提到的國家中，我的玩具在台灣最受歡迎，他們總是試圖跟我積極的溝通。另外，我發現台灣收藏家不關心人氣，會自由選擇任何符合他們口味的藝術作品。

將來的目標是甚麼？

我只想成為一個可以做到我想做的事情的人。我的作品 Adult Who Cannot Become Adult Forever 包含了一些社會含義，但是我在二〇一六年的台北國際玩具創作大展上，提出的 Get Ready For The Next Battle 系列，不僅僅是關於一個小女孩。我不喜歡媒體分開描繪英雄和英雌的方式，大多數英雄是冒險的、身邊有很多同志的、勇於爭取夢想；而英雌通常扮演魔術師的角色，為別人服務，沒有自由意志。我想讓她們根據自己的口味選擇穿著，拿著自己喜歡的武器，完全為自己的夢想而戰。她們並不需要總是笑著或者擁有性吸引力。即使她們穿著性感衣服，那只是因為她們想這樣做，而不是向某些人炫耀。

我試圖描繪三個有自信、努力不懈和擁有自尊的女孩，包括非洲人、白種人和亞洲人，這次我會專注於亞洲人。蛋糕、甲冑、水手服、頸圈、雀斑、朝天鼻、彩色眼球、睫毛等，這是我認為的真實美麗。我一直打算拆解美麗的偏見和刻板印象，從而建立我自己的標準。因此，我會嘗試讓我的後續作品包含她們獨特的故事。在某種程度上，可能有些人會不能接受。我會自由地向群眾表達我的想法。我相信我創造的是另一個自我，我也不想修飾或裝飾它。此外，我對於各種創作媒介抱持開放的態度，例如視頻、裝置和書籍。同時，我會盡全力讓人們認為藝術玩具本身也是一種藝術品，這會令我忠於自己。

tang 喜歡 Teddy Bear，也在作品中展示。

以創作人的想法為依據

藝術玩具是甚麼？它與傳統玩具、藝術品有分別嗎？你的作品是藝術玩具嗎？

我認為藝術玩具是一種現代藝術，因此我認為自己是一個藝術家。藝術玩具的確與普通玩具不同，它不僅制式化某個人的內容，而且還將自己的個人故事和哲學融入到藝術品中。由於當代藝術不僅包括平面畫作，還包括數碼繪畫、影片、表演、裝置等，藝術玩具的類型是藝術家表達自己世界的方法之一。藝術玩具與其他藝術作品沒有甚麼區別，因為它們是以創作人的思想和意圖為依據的。當然，如果它們僅僅是大量生產，以提高營銷和利潤為目的，又是另一個說法了。雖然我為了生活而遇到了很多困難，但我為自己作為一個藝術家感到自豪，並嘗試表達我想做的事情。我永遠不會就自身情況而妥協。同樣地，我周圍的一批藝術家也以一種不懈的方式為自己的夢想奮鬥。我認為這是藝術家應有的態度，他們也應該盡力創造自己的世界。

Raktang 認為藝術家應努力創造自己的世界。

你如何看待韓國藝術玩具的發展？在韓國，公眾對原始玩具的態度是怎樣？藝術玩具文化的氣氛是怎樣的？

當我開始收集藝術玩具時，藝術玩具這個領域本身並不是韓國群眾所熟知的。約十年多前，只有通過網吧或 Kinki Robot（玩具銷售網站）才能購買和收集 Figure。然而，隨著時間的推移，Figure 這個類別變成了潮流，從而導致了藝術玩具的興起。現時在韓國街上有很多玩具店，這意味著收集 Figure 是年輕人的流行文化。在此之前，Toy Expo 以「Seoul Doll Fair」這個名稱開始，展示了各種各樣的 Figure。隨後，Hobby Expo 成立，但並沒有為藝術玩具而舉辦特別活動。我認為是隨著 Art Toy Culture 的出現，才令到藝術玩具普及。然而，隨著 Kidult 成為受歡迎的概念，藝術玩具的文化對於韓國觀眾來說，變成有點難理解的概念。也就是說，Figure 和藝術玩具之間的分歧已經消失了。隨著 Figure 被視為大眾文化的情況，我認為最迫切的是促進其發展，建立藝術玩具領域。

在韓國有展示藝術玩具產品的畫廊嗎？

在韓國有三個藝術玩具畫廊：Everyday Mooonday、Fifty Fifty 及 Toy Republic。Everyday Mooonday 是非常豪華和藝術性，而 Fifty Fifty 和 Toy republic 分別是時尚和簡單。另外，Everyday Mooonday 通常都會為罕見的藝術家舉辦展覽。而 Fifty Fifty 則由於它地理位置方便和擁有最新的資源，而吸引了很多人留意。Toy Republic 也很受歡迎，因為它擁有大量的合作展覽。這三間畫廊都有其獨特的特徵，從而為觀眾提供各種各樣的選擇。

韓國電影、漫畫等娛樂業發展非常蓬勃。相關政府部門如何支持藝術玩具的發展？你有否得到政府部門的公共資助？

據我所知，藝術玩具領域並沒有政府的支持，但肯定有一些資助藝術和文化的項目。迄今為止，我從未得到政府的支持，因為我的知名度不高，而且作品的利潤較低。我覺得這是不可避免的，符合資格獲得資助的創作人太多了。不過，我聽說政府曾經支持某些藝術玩具項目，從他們的角度來看，似乎是有利可圖。由於韓國的資金通常是給予那些潛力巨大和受歡迎的人，所以我應該首先建立我的職業生涯。

沒有生命單獨過活

Facebook · Umberrabbit
Instagram · geonu_lee

Geonu Lee 是插畫師及藝術玩具創作人。透過玩具所呈現的不安感，表達人們對於不熟悉的項目的心理變化。在她的作品中，經常會出現不完整的人類或生物，希望帶出人與人、人與社會間共生關係的討論。

UMBERRABBIT

你是一個插畫家，為甚麼會開始創作玩具？

在大學時期，我對 Platform Toy 很感興趣，於是開始收藏 Medicom Toy 的 BE@RBRICK、Toy2R 的 Qee 和 Kidrobot 的兔子。我想像我創作的小型雕塑出現在某人的桌子和書架上，便決定自己製作玩具。第一個創作是 Double.b 的角色，曾經在二〇一四年亮相。

你的作品經常都是兩個雙生兒緊靠在一起，而且帶有陣陣的憂傷及焦慮，可以分享一下作品的創作意念嗎？你想透過作品傳達甚麼訊息？

我沒有故意表達沉重和黑暗的氣氛。我認為我的角色展現的悲傷、焦慮和孤獨，是來自我對暹羅雙胞胎（連體嬰）的看法。他們的出生概率是二十萬分之一，並且生存的可能性很低。對我來說，他們已經成為悲慘

左：作品以連體嬰作為概念，共同分享悲傷與快樂。
右：Geonu 的作品從設計到生產都是手工製作，過程像爬山中克服困難後充滿喜悅。

生活、悲傷和同情的對象，但他們也只是會共享喜悅的社會成員。他們不舒服，但有光明的能量和積極的思維，互相照顧、共同合作的生活態度都讓我感到驚訝。至少，我在影片中看過的連體嬰是這樣的。

沒有生命單獨過活。我們有強大的家庭和朋友，分享我們的心。任何人都會遇到危機和考驗，如果你慢慢克服，生命就會有希望。我希望我的工作能令人感到安慰。

從設計到生產，所有程序都是手工製作的，為甚麼？

我喜歡爬山。當我爬上一個陡峭的山坡時，我忙著呼吸，但在某個時候，我感覺達到目標的成就感和快樂感，那麼下一次行山的期待和喜悅就會到來。我認為手工工作類似於攀登，長久以來我都手做玩具及作品，完成作品後再看，原本困乏的心靈，都會被很好的感覺填滿。

手工作品可以轉化成意想不到的形式，我會想起跟主題相關的其他項目。這種從大塊中雕刻的造型方式不太乾淨，但就很容易在表面下功夫，讓其成為一件獨特又有趣的作品。成品帶點粗糙，但同時有種復古

左：戶外系列 Double Camp 是受到 Geonu 喜愛的露營文化啟發。

右：Geonu 直言，手工作品可以轉化成意想不到的形式。

的溫暖感覺。

你的作品的主要材料是甚麼？為甚麼選擇這種材料？

原型使用低溫陶泥或油灰製成，容易從藝術用品店購買，而且易於建模，任何人都可以輕鬆塑造。在複製過程中，我使用樹脂，適合於少量生產並且容易加工。

你收集玩具嗎？你可以跟我們分享最喜歡的玩具，以及愛好嗎？

我喜歡根據插畫而轉化成玩具的創作人如 Amanda Visell 和 Gary Baseman。除了收集藝術玩具，我還喜歡遠足和露營。

靈感來自甚麼？在你看來，怎樣的文化影響你最多？

我通常從我所經歷的圖像或事物的媒介、我的生活環境，以及我所觀察到的觀點和回憶開始，跟我的作品扣連。Double.b 是源於一套關於連體嬰的紀錄片，最近戶外系列 Double Camp 也受到我最感興趣的露營文化啟發。

創作令 Geonu 感到快樂。

你如何看香港的玩具創作人？

我因為看到 Toy2R 的 Qee，而夢想成為玩具設計師。香港有很多活躍的玩具設計師，這不僅僅因為他們基於香港是藝術玩具發源地而這樣，而是他們一直試圖根據自己的感性和生產能力，將藝術玩具發展為藝術文化。他們不斷跟其他藝術家保持互動，並與他們協作共同嘗試新事物。

如果要說一件難忘的藝術玩具，在台北國際玩具創作大展看到 How2work 的作品肯定是其一。我覺得那些作品跟自己的偏好是一樣的，所以我在參展期間對其感興趣，還有各種故事如獨特的情感、善於利用材料特色，以及以人物為基礎的藝術作品也令我賞心悅目。

在創作過程中，最令你感到幸福的是甚麼？最令人沮喪的是甚麼？

當我想到我的作品將會被放在某人的空間，創作的時候就會令我更加快樂。我還未曾感到很失望。經過更長的時間後，它自然就會出現，例如仍然缺乏玩具設計師的能力。

你的作品曾經在不同地方展出，公眾對你的作品態度是怎樣？

他們仍然對於兩個身體糾纏的獨特形狀感到疑惑。看了很久以後，才發現這是連體嬰角色。當我參加展覽時，群眾都會向我傳達一些感想及問候，有時候他們會問創作的意圖，以及希望分享關於這個製作過程的獨特故事。我很感謝他們的關注。

你將來的目標是甚麼？

我打算參加展覽及創意活動，讓更多人看到我的玩具。我最大的目標是舉辦個人展覽，將我的作品讓更多人欣賞，並在不久將來創作更多作品。

創作靈感來自生活。

正在成為一種藝術文化

藝術玩具是甚麼？它與傳統玩具、藝術品有分別嗎？

一般玩具通常大規模生產現有的角色，但藝術玩具則將現有角色以新的視覺效果或用自家設計去呈現。此外，通過跟品牌的交流和協作，可以擁有各種內容及無限擴展，它提供了不同的樂趣。我認為，藝術家向公眾傳達自己的藝術世界及意義，藝術玩具正在成為一種藝術文化。

你如何看韓國藝術玩具的發展？公眾對原創玩具的態度是怎樣？Art Toy Culture 的氣氛是怎樣的？

韓國的藝術玩具在短時間內得到很大發展。由於創作人的積極活動，跟各品牌、藝術玩具專賣店及畫廊合作，所以一直受到公眾的關注。特別是二〇一四年舉辦的 Art Toy Culture，向大眾展示了國內外創作人的作品，以及提供了直接購買的機會。Art Toy Culture 每年有大量人士來訪，被認為是代表韓國的藝術玩具展。隨著教育設施數量的增加，任何人都可以輕易接觸和生產藝術玩具，創作人也愈來愈多。

Geonu 最大的目標是舉辦個人展覽。

在幾年前，公眾會對藝術玩具感到疑惑，但現在已經認識到它是一種藝術類型，可以預見藝術玩具市場的成長和創作人的發展。

韓國娛樂業如電影、漫畫等發展十分蓬勃。相關政府部門如何支持藝術玩具的發展？

他們支持不同的項目如提供比賽獎金、創意上的支援及參加海外展覽的機會。

為所有人圓夢

Facebook · Monster Taipei
Instagram · monstertaipei / Website · monstertaipei.com.tw

於一九九九年由黃仁壽成立，專售美國、日本、香港收藏人偶玩具及設計師精品，是 Medicom Toy 及 King & Country 的總代理，同時為台北國際玩具創作大展的主辦單位。

MONSTER TAIPEI

可以談談 Monster Taipei（台北怪獸玩具店）的成立過程嗎？

我高中在設計學校唸美術，大學在日本唸商業攝影。我爸爸是牙醫，他用台語夾雜日語說：「你呢，只是適合賺女人跟小孩的錢。」說我應該去唸美容，我為了不讓爸爸失望，考上了東京美容專門學校。但那時我不想唸了，那時年輕，我想要很 man 嘛，結果我去考東京工藝大學，考上了，就跟爸爸說，你要我考的我都考上了，可是我想唸工藝大學。我爸爸說好，但他跟我說：「唉，攝影難賺錢。」沒想到我大學研究生畢業都賺不到錢，因為日本的攝影技術很細心，花的時間很長，那時沒有電腦，很煩，甚麼燈光、setting，是拍照用大相機、菲林的時代。

後來，我離開了公司兩年後自己開工作室，一星期只有三天有工作，因為我沒有名氣，當有機會到高中教書，我很開心，教他們洗照片，我帶他們到外面拍照上課，也不用寫作業，就交照片貼起來討論。那時快樂是快樂，但賺不到錢。

我一直都有買玩具給自己，我就想到我在日本那麼愛買玩具，那為甚麼不去日本進口賣？所以我去日本找批發的地方，但是直到我開店的那一天，我也不知道批發在哪裡，我只好把自己的收藏和在外面買的零售商品拿出來賣。我的店舖很小，就九平方米，結果不到三天東西全賣完，我店裡沒東西，完蛋了！（笑）那時候剛好是網絡開始的年代。

為甚麼你不繼續做攝影，而是去開玩具店呢？

其實我不是不愛攝影，那時候數碼相機來了，買一個五百萬像素的相機要一百萬台幣，很貴。我只有五十萬台幣，我爸爸過世，我也沒錢了，五十萬台幣買不到相機，我心想算了，我也不想再重新學了。我就把五十萬台幣拿去開 Monster Taipei，三十萬台幣開店，十萬台幣裝

潢，十萬台幣留著補貨。

我開玩具店，我太太講了一句話：「兒子我養，玩具你養，你不用擔心。」所以我把所有錢都用在養玩具。一九九〇年我從日本回來，到一九九九年開店，這九年我都賺錢買玩具，所以我收藏了很多玩具，練了一身功力，挑玩具的功力，做生意我不懂，可是東西都賣光了，這不錯嘛？

有很多媒體來採訪，心裡就想，原來這個行業可以做嘛！那我就把工作室停掉，開了半年就不拍照，也把學校教書停了。我只能專心做好一件事情，那時候我大概每兩個月就去日本進貨，靠眼睛挑貨回來賣。這不是我厲害，只是因為我收藏了十年玩具，所以我懂玩家要甚麼，沒有偶然。

你的玩具店進貨的準則是怎樣的？

我沒辦法答很準。以前進十個，七個都是我要的，就賠錢了。後來我覺得這樣不對，現在進十個只有一個是我要的，那就會賺錢。以前我挑我要的，是因為自己買想要的玩具比較便宜（笑）。

Monster Taipei 除了售賣玩具，也作展示用途。

有一些作品你很喜歡，但賣不出去，怎麼辦？

這個不能跟自己的錢開玩笑，你可以將產品引進來，但不能貪心，我不是大公司，我要照顧很多品牌和設計師，如果我把一二百萬台幣全押進去，第一個死了我沒關係，第二個又死了，我就會沒錢。我以前甚麼都要，這樣不對；現在的我，好的產品會入多一點，不好的要勇敢 say no。另一方面，錢不是最大的問題，沒有地方才是問題，我已經體會到香港的問題了（笑）。所以現在我賣東西跟辦展覽會比以前更小心，不是我眼光準，而是我更小心。

台灣買玩具的人是怎樣的？

以前炒賣的人很多，我很討厭，但現在不會。買玩具的人就跟吸毒一樣，他們賺了錢也是買玩具、養玩具，有甚麼不好？他的能力就是比我還會賺，他在網上照顧一群人，我只要照顧我店裡的人。不管他跟誰買，他都是買玩具，可這個風氣就起來了。

買家收藏的東西價值愈來愈高，跟他們成長也有關係？

我覺得沒關係，不要太在意別人說昂貴或便宜，自己開心比較重要，買到最後要跟別人去比，也不會快樂，壓力很大。以前我買不到會難過，可是怎樣買也買不完。商人很聰明，你買完了又會再出；我也是商人，可我覺得買得開心就很重要。你說那個玩具，大家都說好，可你根本不認識，你去買一個傳說，在你心中是沒有意義的。

香港的玩具店就簡單的賣玩具，但你們還會做小型展覽，為甚麼？

日本一般玩具店都會辦展覽，就算地方細小，也會撥一個空間出來做，這樣很好。藝術玩具放在藝廊展示也很奇怪，可它又不像是Bandai的玩具，它有一點藝術成份，所以你在賣藝術玩具的地方做展覽，就不會很奇怪，這讓設計師除了在台北國際玩具創作大展外，有多一個展示機會，也不會讓人覺得好像一年才看一次。不過也要看設計師有沒有密集創作的生產力。

有沒有經歷過困難的時期？

當我要把玩具店由兩間變成一間的時候，心中很難過。當時兩邊的東西都太像，要有兩個店長太浪費了。而且房租也一直上漲，我要分兩個心。這曾經讓我很不捨，也很痛苦，想了三年還是要併合起來。我也沒有後悔。現在我很舒服，專心於一間店。可能我年紀愈來愈大，中中庸庸，做好一件事，溫和地發展就好。

你好像很喜歡 Molly，看 Monster Gear（台北國際玩具創作大展主辦單位）都是用 Molly 來做 logo 的？

我自己沒有女兒，我已經把她當成自己的女兒，所以你看我的 Facebook，我都是帶著她在身旁，去全世界旅行，我就很開心。當初我答應幫 Kenny（Molly 作者）去推廣，Kenny 特別幫我畫了一個 logo，我們都叫她 Monster Gear，其實就是 Monster 版的 Molly。

我跟 Kenny 本來就很要好，鐵人兄弟分開發展的時候，他在台北國際玩具創作大展展出了 Molly 這個角色，第一次在台灣發表。他從創作陽剛的玩具，到變成可愛的角色，算是很成功了。在台灣收 Molly 的人都知道我們一直在推廣，Kenny 也跟我們一直合作，所以你要在台灣買 Molly，主要都是在我的玩具店。

跟我們分享一下最喜歡的玩具？

爸爸送我的日本人形動畫《黃金骷髏》（又稱《黃金蝙蝠》）鐵皮玩具，是他在一九七〇年去日本買來送給我的，到現在還能動。我的爸爸是牙醫，常常都要去日本開會，在台灣他都不會買玩具給我，可是出國他就會買玩具。所以我從小就很喜歡日本，我覺得日本就等於玩具。有時候

黃仁壽認為，買玩具最重要買得開心，不要比較太多。

我們還可以 order，因為爸爸會給我看目錄，問我要飛機還是要甚麼的。

小時候我也很喜歡兵兵，就是以前看電影裡皇宮貴族玩的 Tin Soldier（錫兵），在歐洲買很貴，一個大概要二百五十至四百港元。小時候沒那麼多錢，我只有塑膠的，不是金屬的，那時最想就是，若我擁有很多種兵兵，就要自己上色。

我做玩具店也是圓了小時候的夢，因為小時候沒有辦法買那麼多玩具，去做我要做的故事。我收玩具通常是收一個故事，像《星球大戰》，我會做一個戰場，皇帝就在閱兵。

你怎樣看不同地方的設計師？

香港的設計師很厲害，特色是很勇敢去開創，不管有錢沒錢都去做，隨時都在找機會往外面推廣，這是台灣人到現在也沒辦法做到的。台灣人要先存了一筆錢，或者得到一筆錢才去做，做得很慢，慢是因為大家都不敢投資太多在玩具，收玩具的人很多，跳進來做賣的人很少。我一直覺得台灣有很多好的創作人，做原型很厲害，可是台灣人很害羞，做了也不敢展示，所以你看不到台灣有太多玩具設計師。以前 Michael Lau

出來的時候，我覺得他很厲害，說過台灣十年內也不會出一個 Michael Lau，別人說我太崇拜香港，可是十年後台灣的確也沒有出一個 Michael Lau。可是現在我就不敢說了，因為現在台灣慢慢有人出來了。

日本大公司比較厲害，也有工藝很好的軟膠師傅。在這三四年，日本設計師的創意很好，原型做得很好，但就沒有人幫他們做，找內地的工廠做可能會有技法、顏色、材料的問題；反而要去找那些曾經很厲害的老師傅工匠，但沒有辦法做很多，行業已經式微了。

韓國在短短的兩三年，已經有那麼多厲害的設計師，他們做出了完成度很高的玩具，香港早期的玩具完成度也沒有那麼高。可是，韓國的玩具總是有香港人及日本人的影子，但我也很期待更多韓國的玩具出來。

有沒有一些創作人你很欣賞？

藝術家 KEA。他是藝術學院出來，做的東西很當代，他自己很喜歡玩具，作品融合了當代藝術及玩具。

作為 Fans 跟創作人之間的橋樑

Facebook · paradisetoyland

Instagram · paradise2005 / Website · paradisetoyland.com

於二〇〇五年由 Jones Fu 成立，為服飾與玩具複合商店，進口來自日、港、歐、美各國不同的有趣商品，包括設計師玩具、潮流公仔、日系食玩、動漫周邊產品、美系英雄玩具、港系的十二吋 Figure 等，希望能帶動生活中的歡樂氣氛。

PARADISE TOYLAND

TAIWAN

Paradise 一方面做零售，一方面辦展覽，它的定位是怎樣？

二〇〇五年我們開店的時候是很單純的玩具店，沒有甚麼定位，就是自己喜歡玩具。大概在二〇〇六、二〇〇七年，剛好有一些日本的創作人也開始做設計師玩具，就開始了合作。我們第一個做的是 Touma 的展覽，那時候他跟 Toy2R、WonderWall 已經有很多合作。當時大家買他的玩具，但實際上對他的創作沒有概念，我就請他來，展示 Knuckle Bear 以外的其他作品。

那時我經常去日本，剛好有一個日本朋友在做 Joe Ledbetter 的展覽，很多人喜歡他，但他的東西很不好買到，我就覺得可以找他，所以第二個就是做他的展覽了。第三個是 Tim Biskup，算是我們合作過最厲害的創作人。他自己很喜歡玩具，他在畫廊的價值跟他在玩具市場的價值是完全不一樣的，但他不在乎，只覺得做玩具是他想要做的事情。那次展覽叫「T x T」，是他跟 T9G 合作的。但那時他的畫都不是賣得太好，因為人們不是太願意把錢花在這裡，他們對於公仔完全沒有把握解讀。

而我的玩具店基本上是雜貨店，藝術家玩具只佔很少，其他大部份都是日本的雜貨、生活用品，大家就來尋寶。藝術家玩具只是其中一個項目，沒有辦法變成 Paradise 的全部，做展覽是想讓大家看到這些東西的背景，我們也不是藝廊。

你個人的喜好是怎麼樣？你怎樣去挑選產品和邀請誰來辦展覽？

我在店裡盡量不去碰訂單，就讓店長自己下單，在網絡上看到外國有好笑的，很酷的，就拿一點回來賣，可以自己決定要訂多少，這不一定是玩具，可能是有趣的東西。所以我常常不知道自己店裡有甚麼，好處是，我可以去逛自己的店（笑），然後決定要買甚麼，跟店員說我要這

Paradise 的店面。

個那個，我覺得這個過程是好玩的。

至於展覽，就要我看得順眼的，帶有一點直覺，就是多多少少都想自己帶來的都跟別人的不太一樣，要非常原創。很多東西雖然看起來很好賣，可是我覺得你跟誰誰誰很像，帶有某人影子的東西，我就盡量避免。Dehara、Kasing Lung、Kila Cheung 及 Pucky 的東西就跟別人不一樣，也沒有出現過類似的風格，這種我就想要做。

你說你沒有向藝廊的方向發展，但有沒有想將玩具推上藝術品的位置？

我覺得我們的能力辦不到這樣的事情，對我來說，店的形象上還是玩具店，也不想因為現在藝術家玩具很貴很熱，就把店轉型。反過來，我會覺得只有藝術家本人才可以將自己的作品變成藝術品，就像 Tim Biskup，一張畫可以賣兩三萬美元，但是他很喜歡玩具，回頭想要跟玩具的 Fans 互動，那我們就可以在這方面合作，而不是我們去影響你的藝術價值，是可以兩邊平行進行。

另一個例子是 Kasing Lung，他放在 Wrong Gallery 的畫賣得很好，我也買了一張，這個價值只有藝廊才做得到。但如果你想要跟 Fans 互動，

店裡猶如雜貨店，Jones 也會到自己的店裡尋寶呢！

那你還是要回來 Paradise，我們就是有一種 family get together 的感覺，我們每年的展覽都像在辦一個小型的派對。我覺得台灣人比較有人情味，這一點真的很可愛，這也是我們想要辦展覽的原因，因為很多人願意來現場直接跟 Kasing 交流、講幾句話，送個鳳梨酥給他。所以我們的展覽重點不在藝術價值（Art Value），而在於大家互相認識，也讓 Fans 看到創作人的另一面。我們的角色就是充當 Fans 跟創作人之間的橋樑。

前幾年市場不是太好的時候，我每年都有邀請 Dehara、T9G 等過來，不一定有利潤，可是我們有其他東西可以支撐著，可以維持辦展覽。對我們來說，這件事情比較重要。

你的眼光很好，在台灣引進了山椒魚、T9G、Dehara 等人的產品，成功帶起了軟膠熱潮。你是怎樣去挑選代理的創作人？

其實我之前就已經跟 T9G 合作了約十年，中間也有過很久的低潮，可是在這近兩三年，大家都很瘋狂，不管哪裡的設計師都要做 Sofubi。潮流未來之前，他們都已經跟我們合作，像 Kasing 剛來的時候，店內的反應也不是太好，第二年他的作品也沒有賣完，現在也很受歡迎；T9G

Dehara（左）及小夏貓（右）也曾在 Paradise 辦展覽。Jones 每年都保持辦展覽，向 Fans 展示創作人的另一面。

也是，曾經展覽限定的商品都賣不完，現在又回到要排隊的時候，所以也不是說我很會挑，還是市場決定的。而且因為玩具市場不大，只要一家店有幾百個人就夠了，不是眼光的問題，而是有沒有人要做這件事情。

我就選自己喜歡的東西，不一定是要客人覺得很酷的，因為我喜歡的別人都不一定喜歡，但剛好他們都喜歡，就是運氣好，他們不喜歡，可能是宣傳問題，或者時機不對，我們就再用點力，也只能這樣（笑）。

客人不喜歡的東西你怎樣賣出去呢？特別遇上低潮的時候。

當我聽到這些創作人的時候，我不太在意客人認不認識他，剛開始賣他的東西，我會介紹他是哪一國人，做了甚麼事情，有沒有其他加分的項目。我們每一年都做展覽，或者將他的作品帶到台北國際玩具創作大展，但最後還是要客人決定。

譬如 Kasing 剛好碰上中國內地 Fans 的狂熱潮，連帶台灣的銷路也變得很大，但是對我們來說，也不會改變我們要在 Paradise 給你看一下他的甚麼。你怎樣看，我沒有辦法決定，但我可以決定讓你看甚麼。我們就保持每年做這件事情，不管你去年賣得好不好，我今年還是做一樣的事

情，一定做下去。不然要麼被錢拖走，要麼會被低潮壓死，而我們一直在堅持。

那你怎樣看現在玩具市場的情況？

市場最近比較熱鬧，很有活力。只要你稍為有一點想法，就可以做，不管你做得好不好，因為一定有人喜歡有人不喜歡。市場有活力是好事，可是如果你只是想要利用這個東西賺錢，本身卻沒有熱情，我覺得還是會很難的。畢竟玩具不是必需品，是奢侈品，你要很快把它擴張到一個程度是很難的，所以一定要在這個領域待下去，這都需要熱情。現在我覺得是很好的時期，你只要有熱情，市場就在那裡。

店家會比較辛苦，當市場不好的時候，仍然有堅持的人，我們就可以推一下。熱潮冷掉了，創作人走了，但店家還得生存，這時候我們就要找其他的東西，來替代退出的這些人。我們很希望大家今天在最好的時候加入，最壞的時候也不要離開，一直做，就一定要靠熱情。

現在炒賣也很熾熱，你怎樣看這件事情？

我喜歡玩具，無論買到買不到都很好玩。如果你是真的喜歡，就算你排隊抽籤沒有買到展覽限定版，但下次也是會來，因為可以跟創作人交流也是開心的，玩具就是要對你生活帶來正面影響。如果你只是一直想要炒賣，買不到要罵髒話，這已經超過了玩的範圍。

這種玩具變成不是主流的藝術，但它在 Fans 心中有一定的藝術價值，有人不是因為價錢去買的，也有人就是捨不得賣，只要有這一群人存在，這個市場就有價值，我們的工作就是在市場中，將資源跟客人連接起來，平衡買賣的需要，兩邊都能夠 have fun。

Kasing 也曾在 Paradise 辦展覽，Jones 笑言很多 Fans 來跟他交流。

台灣人對香港設計師有甚麼看法？

我覺得現在也沒有那麼大分別，很多香港的玩具也在日本製造，我也分不出來。其實只要是好的作品，支持者都不會少，我不覺得客人會因為這個事情很在意。

台灣政府有沒有支持這個行業？

沒有。我覺得台灣這方面比較弱，因為在日本、美國「15 歲＋」法規上的定義是很明確的，它不是玩具而是收藏品，不是賣給小孩的。但台灣就沒有，它見到你是 Vinyl 的，在法規定義上就是玩具，即使標了「15 歲＋」還是玩具，政府這方面還沒有跟上。

你來到香港就一定會去旺角，你覺得香港的玩具店怎麼樣？

糟糕了！要花大錢了要（笑）！因為我非常喜歡電動玩具。旺角的玩具

店都好擠，我又長的太胖，進去不好轉身。其實我在香港只逛過超人玩具、玩具狂熱，我覺得他們很酷。超人玩具是我的偶像，因為他們進的種類太多了，甚麼都有，而且挑的東西剛好就是我喜歡的，每次去都會買不少東西。台灣就沒有這種店。

台北國際玩具創作大展跟 ToySoul 有甚麼分別？

台北國際玩具創作大展是很好買東西的地方，ToySoul 就比較多元化一點，攤位雖然沒有那麼多，但甚麼都想要看一下的人會很喜歡。台北國際玩具創作大展有很多獨立的小攤位，賣自己的東西。兩邊我都蠻喜歡，結合在一起就完美！

藝術跟玩具是兩種生態

十多年前，大家會說設計師玩具；十多年後，多了人說藝術玩具。是不是因為設計師慢慢成長，向藝術家的方向發展？

設計師玩具跟藝術家玩具有一點差別，我不喜歡用設計師去講這個事情，因為我覺得設計師總會有一個老闆，幫你出錢做玩具；但藝術家比較是自己做老闆，可以做自己喜歡的。

不要說你在藝術市場有沒有位置，我反倒覺得現在次文化就有玩具藝術家這個職業，玩具藝術已經是一個新的藝術領域，而不是精緻藝術。你把玩具當成藝術，你專注在這件事情，不見得你會走進精緻藝術的領域，可你在裡面也會找到生存空間。不一定要到藝術領域才能成功，你看 Kenny Wong 在玩具領域也很成功，他有商業的價值，也有藝術的價值。他打造了一個品牌，這樣就很好。

如果你一開始就想到進入藝術領域，你就會去找藝廊，而不是玩具店。

藝術玩具是甚麼？它與傳統玩具、藝術品有分別嗎？

我覺得大家對藝術的認知有落差。Ron English 這些人在做玩具之前，已經在藝術圈非常有名，畢竟 Ron English 一張真跡最少要一兩萬美元，而一兩萬美元跟玩具的一兩百美元，有價值差。我覺得藝廊跟玩具的生態完全不一樣，你要將玩具變成藝術品，我覺得有一點難度。

有人會覺得藝術品很貴，但藝術玩具就好像比較便宜，買不到藝術品的話，就先買藝術玩具？

我會反過來看這件事。比如說藝術家 KAWS，他的一張畫可能要賣幾十萬美元，但他出的一件玩具是兩百美元，換一個角度看，那件玩具不是藝術品而是紀念品，給所有買不起他的畫作的人，讓他們有機會將他的作品帶回家。又例如，想要奈良美智作品的人那麼多，How2work 的負責人 Howard 做了一個鎖匙扣，作為展覽的紀念品，雖然會有炒賣，但對藝術家本人而言，那個鎖匙扣就只是紀念品。如果我有一張奈良美智的畫，就不會在意有沒有那個鎖匙扣；可是沒辦法得到那些畫作的人佔大多數，所以他們才需要去擁有那個紀念品。

如果是從紀念品的角度出發，怎麼會是藝術品？離藝術領域非常遠。這是出發點的問題，你很愛玩具，就想要做玩具，因為做這件事情而得到樂趣，但你把做玩具當成一個階梯進入藝術市場裡去。我覺得有一點難，因為你要進到那個世界，不就一開始從藝廊開始，慢慢帶著你的作品去拍賣場，讓買家定義你的價值？

所以我就是玩具收藏人，不管你收藏再多，或者玩具創作人創作得再多，我覺得基本上還是你對玩具有熱情。你真要到藝術領域的話，那你可能要往另外的市場去找春天。這並不是說玩具就比較低等，或不好，而是你的目標就在這裡，這裡會有你可以成功的一片天，但你要把它跟精緻藝術扯上關係，我並不認為能夠直接連接。你要從藝術領域做回來，可以，但要從玩具做過去，我覺得不是這個方向。

如果不要從價錢出發，而是從創作人的意志出發，會不會也有一種藝術？

我非常愛玩具，所以我的意見基礎在說，你做這件事情都要有熱情。你說不要看價錢，可是譬如你賣一張畫五千元，雖然有一天會升降價，但是它的價值就遠大於它的價錢，因為它就只有那麼一張。可玩具比較難的是，一百個已經算很少了，五十個人衝著價值買的，有五十個人衝著價錢買的，因為可以再賣出去，這時候就破壞了你原本討論的話題，因為已經有人因為價錢去買它，而並不是想要收藏。

今天如果我走進藝廊，覺得這張畫真的不錯，未來會怎樣怎樣，我就願意收它一張。但現在玩具很難有這個心情，因為你很快就有其他作品可以參考，你馬上到淘寶就知道下一隻還要不要買。我本來很喜歡這個玩具，現在我要花更多的錢才可以買到，這太容易去影響價錢跟價值相互關係，絕對會影響到它會不會變成藝術。

你希望打破藝術跟玩具之間的牆壁嗎？

有可能打破，但我不希望打破，打破之後，一般的人怎麼辦？他們沒有那麼熟悉藝術，沒有那麼多財力，他們只是想買一件玩具，如果你要花很大力氣去買到，它已經不是 for fun 的東西。

玩具新藝術 親民零距離

於二〇一四年由 Ron Chang 成立。Ron 旅居南加州多年，被自由奔放的藝術氣息所感染。想要帶回台灣的不只是一個正確（Right）的藝廊，而是一種生活態度、生活藝術。致力將藝術普及化，讓一般民眾都能零距離接觸藝術。

Facebook · Wrong Gallery Taipei 靠邊走藝術空間
Instagram · wronggallerytaipei / Website · wronggalleries.com

WRONG GALLERY TAIPEI

TAIWAN 台灣

可以先談談你旅居南加州的生活經驗，是你想開設一間「非主流的」、「錯誤的」藝廊的初衷嗎？為甚麼你覺得推廣低眉藝術及超現實流行是重要的？

旅居南加州多年的生活經驗，無時無刻都被洛杉磯這城市熱鬧喧嘩的藝術氣氛所感染。而目前正百花齊放的藝術潮流，可以說是源自七十年代的「超現實流行」（Pop Surrealism）或是「低眉藝術」（Lowbrow Art）。前幾年到台灣舉辦展覽的藝術家 Gary Baseman 所推廣的「全面藝術」（Pervasive Art）擁有更寬的視野來包容這種新的藝術潮流。

Pop Surrealism 的藝術家們許多都是素人藝術家，他們沒有學院派的背景，但是他們對於生活周遭的精彩片段擁有比其他人更敏銳的觀察。藉由漫畫、插畫、街頭塗鴉、雕塑、紋身藝術等多元表達方式，將他們的創作當成是對生活的自省與觀察而表達出來。主題也脫離主流欣賞的真、善、美形式，將生活中脫軌的歡樂、不設限的惡作劇與挑戰社會的諷刺毫無保留的放在創作裡。

有些藝術家把他們的理想，同樣放在跟品牌合作的商品中，一般大眾不需要走進藝廊，就可以從服飾精品、運動用品、生活小物件，甚至設計師玩具上感染到這些藝術家獨特的生活態度。當我們身處的大環境漸漸被連鎖企業店規格化，變得一模一樣的時候，這些獨特的生活態度就成了年輕一代或是自我意識較強的個體所要追求的精神食糧。他們想要自己的品味與個性，需要尋找可以彼此欣賞的同好與夥伙伴。

今天我們想要帶回台灣的不只是一個正確（Right）的藝廊，Wrong Gallery 要帶到台灣的是一種生活態度、生活藝術。我們放在藝廊裡的作品不單單只是一件美麗的物品，它們將會是一扇扇的窗戶，每個窗戶後面有著一個個精彩又豐富的人生與個體。我們歡迎各種獨特的個體到這邊交流，發表各樣對生活態度的看法與開發不可預期的各式可能性。

你會收藏玩具、電影道具、新藝術的作品，你似乎非常喜歡電影，尤其是《星球大戰》！可以談談你最喜歡的收藏品嗎？對你來說，玩具是怎樣的東西？

對我來說，收藏沒有最喜歡或最不喜歡的，因為都是喜歡才會收藏喔！

玩具，尤其以《星球大戰》的玩具收藏是我的最愛，因為我除了收藏玩具，亦熱衷於 cosplay 的盔甲道具製作。每當我購買《星球大戰》的玩具時，就會幻想在買我自己穿上去的一個形象作品，從而去收藏且不時研究其玩具盔甲裝備上的比例設計，這部份有助我在真實世界中的盔甲道具製作。

Wrong Gallery 是藝廊，但又不像傳統的藝廊那樣白盒子的感覺，一樓是販售玩具的空間，二樓才是展示空間，感覺非常的親民。除了藝術品的種類不同以外，你們整個經營模式跟一般的藝廊有甚麼分別？或者說，經營這種非主流藝術品的藝廊，要特別的留意甚麼？比起傳統藝廊要多做些甚麼？

我們主要的經營模式確實與一般傳統藝廊不同，我們相信藝術是可以「親民零距離」，走向採用「新藝術」的做法，讓更多民眾願意親近藝術，至於為何一樓是販售設計師玩具的空間，二樓才是我們的主要展示空間，是因為我們覺得台灣很多人對藝廊的想法是有「距離感」和「奢侈品」，往往在路過藝廊時，看到內部的作品，直覺上就覺得藝術品一定很昂貴，深怕進來參觀後若不小心損壞藝術品就麻煩了，願意參觀的機率就大大降低。

我們的做法是讓第一次進來的客人直覺上是玩具店，又或是出租戲服的店家，但至少他們會願意進來參觀，再經由我們後續介紹後，參觀二樓

Wrong Gallery 共分兩層，底層擺放了 Ron 的收藏品及銷售品，第二層作創作人展覽用途。

Ron 認為 Wrong Gallery 要打造一個非傳統白盒子畫廊的藝術空間，希望做到「親民零距離」。

的展覽空間，甚至喜歡上我們的推廣藝術風格，日後持續關注我們藝廊的消息。

當然因為我們推廣的是「非主流藝術」，特別需要留意的是民眾看完後的想法，相信我們所做的是有趣，且能跟世界接軌的藝術。除此之外，我們持續不斷的跟世界各地不同的藝術家接洽合作，希望可以讓台灣的民眾看到更多不同領域藝術家的作品及展覽。

你們曾跟美國鬼才藝術家 Gary Baseman 合作推出中西合璧版的 Creamy，可以談談那次的經驗嗎？

Gary Baseman 本身就是我在美國認識好幾年的朋友，在美國時我們常常會出去談心遊玩，至於為何跟他合作推出中西合璧版的 Creamy，應該說在二〇一三年後，我回來台灣創辦 Wrong Gallery 時，Gary Baseman 當時也受台灣藝術單位的邀請前來辦展，來台期間的某個夜晚我們碰面聊天，Gary Baseman 提到想在亞洲製作一款專屬的 Creamy，因為他也相當熱愛亞洲的人事物，故進而延伸出了這款中西合璧版的 Creamy，以中國青花瓷的概念去配色。對我來說，這也真是個有趣的合作經驗。

你們的展覽通常都會結合玩具與繪畫共同展出，為甚麼會有這個考慮？

主要是我們發現做設計師玩具的藝術家，在使用玩具創作前，本身亦具備繪畫的能力，而我們也堅信當展覽有平面作品及立體作品兼具的展出時，整個展覽的氛圍將不同，呈現的畫面上將更具張力；同時，也可以讓粉絲看到設計師的多元性及發展性，從展覽中看到作品所表達的藝術價值。

除了展覽，你們也會辦玩具市集，可以分享一下嗎？

我們從開店至今舉辦了不下十場的「靠邊走邊玩玩具市集」，每兩至三個月會號召玩具同好們一同參與。舉辦市集活動是因為我們相信所有的同好都有顆愛玩具的心，且熱愛分享，我們想藉由玩具市集當作一個定期的交流聚會，讓大家在台灣可以有個地方一同交流彼此喜愛玩具的想法，就我們店家而言，從中也看到很多不同類型的玩具作品，某方面也是一種學習！

在你們過往的展覽中，有大師級的藝術家如寺田克也、Gary Baseman 等，也有一些比較少人知道，可是也非常有趣的藝術家如迪嘉、Rainbow Arabia 等。你們是怎樣去發掘那些知名度較低，但是作品很有趣、具潛力的藝術家？有甚麼挑選藝術家的準則？

挑選藝術家最主要是我個人是否喜歡，我相信若我喜歡的藝術家，這世界上一定也會有人喜歡，當然我喜歡的比較偏向新藝術，在找藝術家時，其實仍會以適不適合我們藝廊的展出調性去考慮！

另外，在發掘藝術家方面，基本上我們不吝嗇提供舞台予新晉藝術家，全球有很多新晉藝術家需要被看到，且需要舞台讓他們盡情發揮。

你們還會邀請策展人策展，譬如在「開田裕治、西川伸司的幻想世界」特展中，邀請了王凱平老師。在策劃展覽的時候，你們的首要考慮是甚麼？

每次策展時，大家會注重的要點都不一樣，我們會將藝術家的作品獨特性／藝術性／呈現方式，以及知名度等都列入考量，當然是在我本身喜歡這位藝術家的前提下，才會更有動力去策展！

你們也曾邀請香港的玩具藝術家辦展覽，譬如 Kenny Wong、Kasing Lung、Miloza Ma 等。你們覺得香港的玩具創作人怎樣？台灣人對香港玩具創作的態度是怎樣的？

我們很樂意跟香港藝術家合作，當初我們為何會認識設計師玩具，也是因為十幾年前深受香港的設計師玩具作品所洗禮，當初香港藝術家們（Michieal Lau、Eric So、Kenny Wong）的作品，讓我們對藝術呈現的方式改觀，也發現這真的不是玩具，而是藝術啊！

台灣人亦相當支持來自香港的藝術家，畢竟是從十幾年前一直看到現在，也愈來愈多人知道設計師玩具這一專有名詞，收藏的年齡層也愈來愈廣！

經營非主流藝廊最大的困難是甚麼？

簡單來說，非主流的藝術都是一般人比較難接觸和看到的，相對而言，在推廣上必須在短時間內，讓人們看到藝術家作品內在的價值，定價上也是以一般民眾好入手為優先考量，雖然定價會隨著藝術家的做

除了玩具，畫廊也會展出創作人的畫作，平面與立體作品兼備，展覽氛圍更有張力。

工／知名度而慢慢調整，但這必須花很長的時間去經營。

另一方面，我們也試著開發收藏傳統藝術的藏家客群，但目前仍在持續努力中，因為通常購買傳統藝術的藏家，基於已經有收藏藝術品了，相對收藏以親民版藝術品為定位的設計師玩具，從價格跟供貨數量上，對他們來說，就比較沒有更限量的絕對收藏價值，這部份也是我們試著要突破的一個問題點，要讓他們知道，設計師玩具並不是玩具，真的是藝術品可以投資收藏的。

現時流行網絡銷售，尤其是藝術玩具，因為知名度不高的玩具藝術家都希望能省去中間的一層通路費。你覺得網絡銷售是大趨勢嗎？實體藝廊的好處又是甚麼？

以現在的世界趨勢，設計師玩具勢必是需要用網絡銷售方式行銷，才能讓更多人知道，不過畢竟網絡看到的部份是虛擬的，我們反覺得實體店仍是有必要存在。畢竟設計師玩具並不像一般的商業玩具滿街都是，需要透過網絡分享及人跟人之間的交流，其產生的共鳴才會較大。我們藉由實體店持續跟不同藝術家舉辦一些合作企劃，持續讓大家知道他們作品中的藝術價值，這部份若只有網路銷售，相信是沒有辦法做到的。

將來想要達到的目標是甚麼？

現階段目標是整合亞洲的設計師玩具品牌，並試著讓台灣民眾了解設計師玩具的藝術價值，並嘗試將亞洲藝術家們帶往國際，讓世界知道他們的好作品。另一方面，我們也將在歐美持續努力的亞洲藝術家帶回亞洲予大眾認識，進而達到跟世界互相接軌的目標。

教育民眾認識藝術

你們的目標是推廣設計師玩具或藝術玩具，而且覺得這種玩具是藝術品。為甚麼你們覺得是藝術品？它的藝術價值在哪？它跟普通玩具有分別嗎？

我們推廣的玩具類型主要是以設計師玩具為大方向，何為設計師玩具呢？就字面上解釋，就是藝術家用玩具的材質融入自身精神或風格的藝術品，並不只是人們認知的「很貴的玩具」或「極限量的玩具」而已，其實是當今藝術中所呈現且使用的一種新媒介材質或畫布。

從宏觀的角度看，五十年代以 Andy Warhol 為首的普普藝術運動（Pop Art），反對精英高雅藝術，而轉向大眾藝術，將傳統藝術與商業操作結合，也很強調藝術是可以複製的。近年尤以村上隆為表表者，也開始見到一些傳統藝術家如奈良美智、KAWS、岳敏君等也有推出玩具。你們怎樣看這個藝術跟商業結合的事情？藝術玩具也是這樣的事情嗎？

Ron 希望開發收藏傳統藝術的藏家客群，讓他們知道設計師玩具也是一種藝術。

我覺得藝術跟商業結合是件很好的事情，畢竟這是可以讓大眾親近藝術，是喜愛藝術最快的方式。一般人對於藝術品總是抱著奢侈品的心態，並非民生必需品，因而跟藝術品保持距離。但當與商業結合後，誕生出複製畫和藝術玩具，讓大眾有能力去購買進而成為藏家，若之後某天他們有預算購買原畫，也不是沒可能的。

藝術玩具對於藝術普及化有推動作用嗎？如果有，會有怎樣的作用？藝術玩具的這種藝術形式／媒介將會是大趨勢嗎？

我們相信設計師玩具是有助於藝術普及化，玩具本身就是建構在親民版的藝術品下所產生。因為每個人購買藝術品的預算有限，我們常說有時候藝術家一年創作的畫作數量有限，也是需要有預算的藏家收藏後，才能過生活；但若在銷售不如預期的情況下，生活將會更加艱苦。相對的設計師玩具這個產品的延伸，本身有限量及親民價格的特質去讓預算有限的藏家都能收藏，對消費者而言，是藝術入門的初階收藏；對藝術家來說，亦是可以有平穩收入的另一種方式，才能進一步持續創作更好的作品給藏家們收藏。

有人說，藝術家由傳統藝術領域轉向玩具領域比較容易，但玩具藝術家由玩具領域轉向傳統藝術則比較困難，你們對這個說法有甚麼想法？

應該說藝術家轉往玩具領域去發展，通常有個共通點就是本身在學習藝術的過程中，就已經對玩具有著相當程度的熱愛，因為太愛玩具，進而利用自己的所學（可能是傳統藝術的所學）轉向做玩具設計。對藝術家而言，玩具的媒介材質僅是現今當代藝術呈現的一種新畫布呈現，藝術家本身是具有美感的，只要熟悉玩具的上色方式，相信很快就能迎刃而解，創作出好的作品。

反觀玩具藝術家由玩具領域轉向傳統藝術，這部份確實是比較少的，因為設計師玩具基本是以親民的市場去製作販售，傳統的藝術相對上消費客群已經不同，大部份玩具藝術家可能短時間內無法轉向，但我們相信若他們持續去辦展覽，並搭配立體作品加平面作品展出，相信是有助於加速讓大家看到他們作品中的藝術價值，逐步提升他們的層次，也就不一定要轉向傳統藝術領域。

你們有沒有一個希望將藝術玩具推上國際藝術市場的想法，或者要走傳統藝廊的模式？譬如開始邀請玩具藝術家作為駐場藝術家、聯絡買家、帶藝術玩具上拍賣場等等？

有的，我們早在創立 Wrong Gallery 時，本身的定位已不是只看台灣的市場，而是以國際化的市場去定位，走的模式雖以「藝術親民零距離」的方式去經營，但某一方面也是慢慢教育客人對藝術品的認識，一步一步帶著他們從藝術玩具的收藏，進而轉向藝術畫作的收藏！

我們相信這需要一些時間經營，現階段我們仍持續整合來自世界各地不同的藝術家，並跟他們展開一系列的合作，希望有朝一日真的能將他們推上國際藝術市場！

台灣藝術玩具的發展怎麼樣？如果藝術玩具要健康地發展，還需要甚麼？政府可扮演怎樣的角色？

其實設計師玩具藝術這塊，早在二〇〇二年時就已經陸續深植在台灣民眾的心中，想當年香港眾多的玩具設計師前來台灣推廣，已讓我們留下極深刻的印象，進而愛上了這樣的玩具類型。

不過，當時卻在不到五年的時間慢慢降溫，原因不外乎是因為當時人們對設計師玩具的認知只有「很貴的玩具」跟「不知道去哪裡買」，而且當時的網絡傳播速度，並沒有像現今的便利，讓「設計師玩具」很快就跟「公仔」一詞畫上等號，沒辦法再讓更多人看到其內在價值。

時至今日，我們相信在台灣部份店家的推廣下，設計師玩具已經回歸十幾年前的氛圍，各店家也會持續跟藝術家合作，這是很好的現象。畢竟真的要讓消費者看到作品的內在價值，才能持續的經營。

至於政府方面，我們想的很簡單，先靠自己努力讓這個領域的藝術家被看到，若政府某天注意到了，願意跟我們合作，我們當然也不排除。

從末世中展現生命力

Facebook · 13 ART
Website · xiii013.com

作品以末世風格及舊化為主，風格偏黑暗寫實，認為把沒有生命的元素創作出生命力，是很具衝突性也很有趣的。作品經常以舊化與鏽色呈現，可以低調地增加作品的層次感。

13 ART

談談自己的創作歷程。你本身是插畫家，為甚麼當初會有轉向製作玩具的念頭？你獨自創作了數年後，為何後來又跟另一位設計師 Kevin 合組公司？而非以個人身份發展？

在藝術學校畢業後，我就開始從事禮品設計師與插畫師的工作，持續約十年。當時我也開始喜歡精緻的收藏類玩具，但因為自己的要求較高，對玩具不滿意的話，常常會重新上色或改造，也從改造玩具的過程中接觸了雕刻，業餘時間更以玩票性質嘗試自學雕塑。在玩出興趣後就離職，開始獨立創作生產，並經常參加一些 Figure 創作展覽。

跟其他設計師合作是另一階段性的嘗試，當時我計劃手工量產完整的十二吋 Action Figure，需要大量的時間與精力，因此我負責設計與雕塑原型，並找了 Kevin 與 Yaya 合作共同集資量產，組成 K13 TOYS；合作約兩年後，Kevin 選擇繼承家業，K13 TOYS 就解散了。二〇一四年我恢復獨立創作者身份，二〇一六年加盟「趁勢娛樂」。

個人創作與公司生產的主題及定位有何不同？

個人的創作我會比較帶有自己想法或實驗性，題材比較自由；公司的生產會比較從商業角度思考，除了保有自我風格，也盡量符合大眾的需求與市場的獨特性。

你的作品經常帶有靈異及死亡的味道，常以骷髏頭為創作主題，風格傾向 Steampunk，用色也比較貼近鐵鏽的顏色，而不使用鮮艷的顏色。可以分享一下作品的創作意念嗎？為何會以此作為 K13 的風格？

自學生時代我就很迷骷髏與機械、末日、恐怖等有關的插畫與電影，我認為把沒有生命的元素創作出生命力，是很具衝突性，也很有趣的。最初我都是創作寫實的殭屍 Figure 參展，後期風格逐漸轉向潮流類，因為我很喜歡骷髏，會嘗試骷髏的各種表現方式。而選擇骷髏作為我的第一個實際量產販售作品，是很具特別意義的。

我常用單純的顏色讓目光聚焦在作品雕刻的線條與外形上，而舊化與鏽色同樣是我很喜歡詮釋的風格，藉由各種鏽蝕色彩變化，賦予作品歲月痕跡的故事感，表達方式低調但是層次豐富，所以我的作品經常結合這幾個元素，而且不會出現太鮮艷的色彩。

舊化與鏽色是 13 的作品特色，可賦予作品歲月痕跡的故事感。

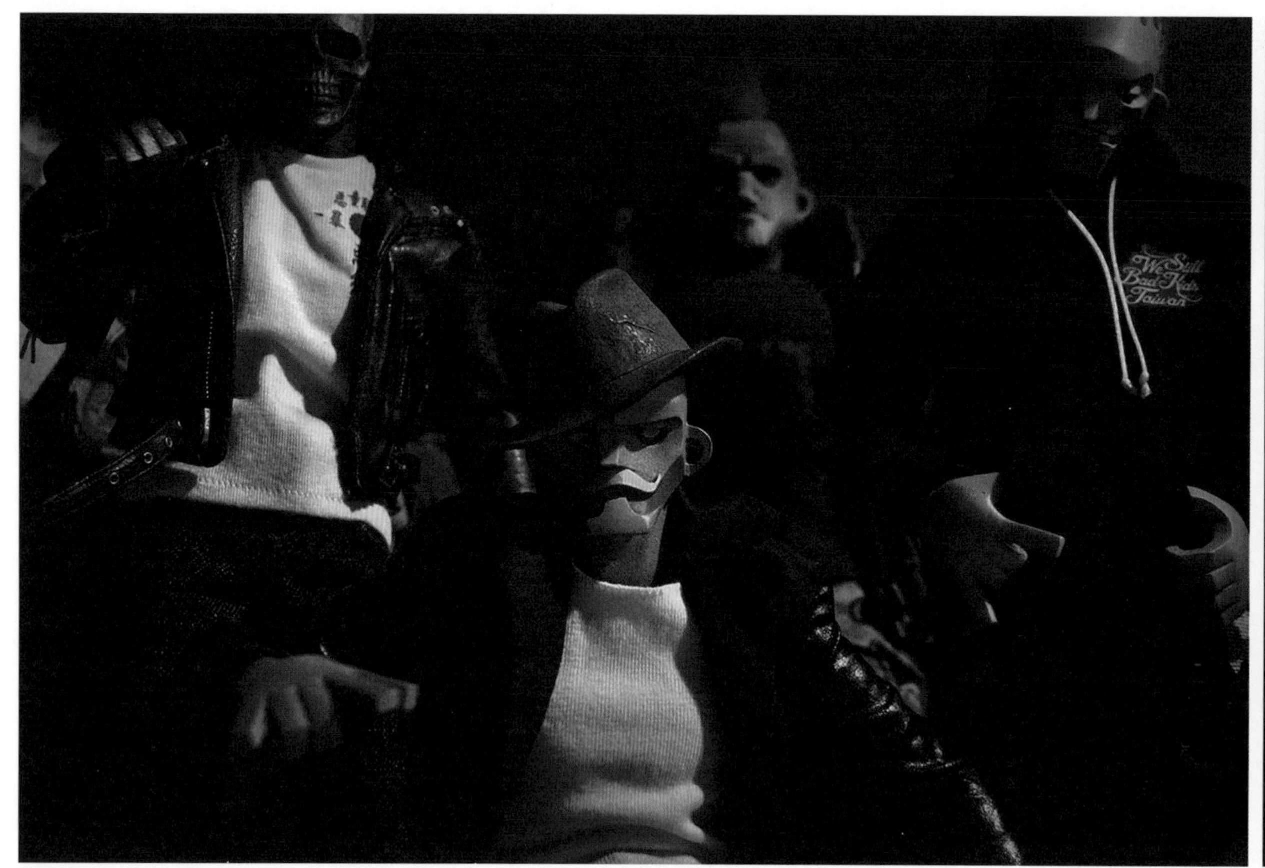

13 喜歡骷髏與機械、末日、恐怖相關的插畫及電影，認為把沒有生命力的元素創作出生命力，別具衝突性。

為甚麼你仍然堅持作品以設計師人手上色？

我認為人手上色能有獨一無二的生命力，每一件作品都是唯一一件無法複製，自己也能從中享受製作的樂趣，雖然過程很花時間，但我相信收到作品的人能感受其中的心意。這跟工廠大量複製的商品不同，我希望即使未來有部份作品改以工廠量產，自己也能保留手工製作作品的堅持。

你會收藏玩具嗎？可以分享一下收藏的玩具，或個人愛好嗎？

我的收藏以 threeA、Hot Toys 的十二吋 Action Figure 為主，因為精緻度跟比例都很好。另外，我也會收集喜歡的設計，除了美系黑暗風格之外，也喜歡一些天真逗趣的作品，例如 Kenny Wong 前輩的 Molly，或

是一些有趣的扭蛋食玩之類。我會擺放一堆喜歡的玩具在工作桌上隨心情替換，工作中每天看著心情就好。

靈感多數來自甚麼？自己比較多受甚麼文化影響？

我的靈感大部份是來自喜歡的電影與插畫，從前比較受日系文化影響；從事外銷禮品設計的工作後，讓我的創作與愛好慢慢偏向美式風格。

香港有不少設計師都去了台灣發展，可以分享一下你對香港設計師的看法嗎？

說起香港設計師，無法不提到我從退伍後，就很喜歡的鐵人兄弟。鐵人兄弟的作品可以說是影響我的人生，玩具設計師變成我最嚮往的職業，從事職場生活多年也一直忘不了這個志向。我很開心現在能從事這個工作，受到很多朋友的支持及肯定。

在創作過程中，你最高興的事情是甚麼？最感挫敗的事情又是甚麼？

最開心的就是我太太一直很支持我，讓我做自己最愛的工作。最挫敗的事，我想了很久應該沒有。玩具設計師一路走來或許比想像中辛苦，但從沒讓我感到後悔。

你的作品曾在不同的地方如新加坡、韓國等地展出，大眾對你的作品反應如何？

從二〇一二年起，我開始固定每年都會出國參展幾次，據我觀察，原創設計作品於展覽期間的反應都不錯，也顯示出設計師玩具漸漸受大眾青睞。在香港、韓國、日本、泰國、新加坡等地的展覽中，新加坡是我最喜歡參展的地方，並非單純是展覽吸引我，而是因為新加坡的展覽聚集了最多不同國家的設計師與插畫師交流，也常從收藏家朋友工作室中認識很多沒見過的作品，每次都大開眼界，感覺很棒。

個人及公司將來有想要達成的目標嗎？

我希望有更多時間創作自己喜歡的東西，在不降低品質的原則下，未來勢必將部份作品交給工廠量產，再親自後續收尾上色，降低自己量產的工作量，爭取更多創作時間，也希望能有更多機會跟其他設計師合作，合作是好玩的事，除了認識朋友、交流技巧，也能從工作中獲得更多樂趣。

一種普及的藝術

你也常常舉辦不同的展覽，譬如在 Wrong Gallery 舉辦畫展及玩具展。藝術玩具是甚麼？它與傳統玩具、藝術品有分別嗎？你覺得自己的作品是藝術品還是玩具？

我覺得自己的作品應該介乎於兩者之間，玩具本身就是一種普及藝術，並非像純藝術般擺放在博物館難以靠近，玩具只要喜歡就能以簡單的代價收藏，近距離把玩與接觸更能感受玩具本身的魅力。在我的角度而言，純藝術的定位也許是價格高昂只有極少量，甚至僅有一件的作品，但這並不是我的追求，我喜歡我的作品能讓人拿在手上欣賞，而非關在櫃子裡。

13 認為近距離接觸玩具更能感受其魅力。

你怎樣看藝術玩具在台灣的發展？藝術玩具要健康地發展還需要甚麼？

日系動漫文化多年來影響大部份台灣人，包括我自己都是看日本漫畫卡通長大的，原創藝術玩具在台灣的發展還算起步，但近年愈來愈多人接受，甚至投入創作。現時除了網絡發達，也經常有參加展覽的機會，我認為前景是看好的。

乾淨俐落的不對稱平衡感

Facebook · BanaNa ViruS
Instagram · bananavirus

創立於二〇〇六年，曾多次跟世界各地的藝術家合作，激盪出廣受好評的作品，其中最廣為人知的是方塊熊（Loic）。設計師執著於不對稱的平衡感與個人風格色彩，逐步侵蝕世人視覺的感受與衝擊。

BANANA VIRUS

TAIWAN 台灣

談談個人的創作歷程？從二〇〇六年至今你一直在創作玩具，為甚麼當初會有此念頭？取名 BanaNa ViruS（香蕉病毒）的原因是？

這一路走來的十二年真的很辛苦，但也很幸運！一開始我也只是個小粉絲以收藏為主，因自己本身是學藝術的，再加上反骨的個性，有天忽然想到，如果可以靠自己的喜好賺錢應該也不錯？就這樣開始了這十年的歷程，從簡單客製 Frank Kozik 的抽菸兔、Munnyworld、Qee 等，到自己設計的第一個角色吊死哇哇系列、裴雅和兔赤猿，以及現在的方塊熊。

剛開始時，我也是處處碰壁遇到不好的人，直至遇到願意真心教導與幫助我的大哥水漾君，才算是開始了我的公仔生涯。當時我沒甚麼錢也沒甚麼名氣，不敢直接量產，所以就從手工製作開始做起。直到二〇〇九年底，我有幸跟日本 Instinctoy 合作，才有了第一款工廠量產的作品 PandEmiC；二〇一三年合作生產了第二款量產作品八吋的方塊熊；二〇一五年加入「趁勢娛樂」開始了多方面的聯乘與合作；二〇一七年宣佈跟劉德華的 Andox 聯乘合作。

至於為何取名為 BanaNa ViruS，就是一個很笨的故事了。還記得十幾年前一部電影《驚天動地》（*Con Air*）裡的 Boss，外號叫做「The Virus」，當時年輕真心覺得叫做病毒真的很酷，所以就幫自己取了病毒這個外號。至於 BanaNa 是一個朋友的外號，當時想跟他組成團隊，但他因個人關係無法跟我組團，我又覺得 BanaNa ViruS 很適合當玩具店或工作室的名字，所以還是用了 BanaNa ViruS 作為品牌名稱。

你的作品是以點、線、面構成，每一面都是平面，卻又組成了立體，你曾經說過這是「不對稱卻不失平衡」，可以分享一下創作意念嗎？為何會以此作為自己的風格？

我的創作方向從以前到現在都以「我自己喜歡、想要」為主，參考現有的作品、風格、動物照片等，然後加上大家喜歡的元素，再經由雕模師雕塑成型，經過不斷的修改角度與調整細節，最終才會做出成品。

至於為何以此作為自己的風格，主要也是因為自己喜歡簡單俐落的畫風，再加上比較少人把切面運用在公仔這方面，所以就這樣順其自然地做下去。

方塊熊以點、線、面構成，每一面平面組成了立體，是「不對稱卻不失平衡」。

你平常會收藏玩具嗎？

當然，而且收藏的數目還不少。至於收藏的方向從一開始的盒抽，到現在的設計師公仔、怪獸、十二吋 Action Figure，以至雕像，只要是我喜歡的，能力又許可，我就一定會買。但現在我比較偏好冷門及藝術的作品，不太收大量與大眾喜歡的作品，所以有點愈收愈怪也愈收愈貴…… 。

你的靈感多數來自甚麼？自己比較多受甚麼文化影響？

我的靈感大多來自生活周遭事物，以及我的好朋友 13，因為我們會互相討論彼此的計劃、角色與方向，來激發對方的創作靈感。至於受甚麼文化影響，我自己也不知道，因為我做自己喜歡的東西……（苦笑）

你對香港設計師有甚麼看法嗎？

在我心中，Michael Lau 一直都是神級地位。雖然現在很多設計師的作品也愈來愈精緻，但終歸一句話「Michael Lau 的作品十幾年前就已經做出來了，現在看依然不減流行。」香港設計師對我的作品沒有直接的影響，但卻給了我很多參考。

你最具代表性的作品是方塊熊嗎？有說這是基於台灣黑熊來創作，你是希望將它帶到國際嗎？

方塊熊是現階段最具代表性的作品，至於為何會製作台灣黑熊，最主要的原因是，我身為一個台灣人，既然要做熊這個角色，我想只有台灣黑熊最可以代表台灣而讓全世界認識！

你創作玩具已經十二年了，當中你遇過最高興的事情是甚麼？最感到挫敗的事情又是甚麼？究竟是甚麼讓你可以繼續堅持？

走過這十二年，說真的是挺辛苦的，但最讓我開心的，是有一位一直支持我的媽媽，如果沒有她，我想我無法任性十二年（笑）。

另一方面，也沒有甚麼事情會讓我感到挫敗，因為只要遇到不如意的事情，我就會當作是上帝給我的考驗，想放棄的時候我會告訴自己，放棄

選擇製作黑熊是希望它可以代表台灣而讓全世界認識。

了我這一路走來就會白費了。

二〇一六年，你辦了一個世界巡迴展覽，可以分享一下情況嗎？

因為之前從未辦過自己的個人展覽，再加上那年是入行十年，也算是一個標誌性的時間，就這樣開始有了個人展覽的計劃。當然這中間也有很多朋友與藝術家的幫忙，讓我的展覽能順利進行。

你似乎也喜歡跟不同的品牌與設計師合作，為甚麼？對你來說，這是一件好玩的事情嗎？

最主要的原因是希望讓我的作品有更多的風格與面貌。畢竟一個人的能力是有限的，但如果可以跟其他人配合，那就能無限延伸。跟其他設計師合作，能激盪出我沒想到或是我做不到的作品，真的很叫人興奮！

你的作品曾在不同的地方如泰國、新加坡、香港、台灣等地的展覽展出，你覺得大眾的反應如何？

每個地方都有自己喜歡的作品種類及風格，但最受歡迎的有兩種：一是，大品牌與知名設計師的作品；二是，炒價空間高的作品，只要有利潤就會有炒家掃貨，那些作品會很好賣。

將來有想要達成的目標嗎？

有啊，當然是賺大錢，哈哈！

愈無法把玩就愈藝術

你覺得自己的作品是藝術品還是玩具？你怎樣理解藝術玩具這件事？它與一般玩具有何分別？藝術玩具與藝術塑像又有分別嗎？如果有，藝術玩具要成為藝術品還欠甚麼？

對我來說，現階段的作品都比較偏向玩具，而我也努力想把自己的作品走向藝術，我只是個還在努力學習邁向藝術家的設計師。

我覺得藝術玩具只是大人們的玩具，並不便宜。而藝術玩具與藝術雕像的差別是，前者可動有把玩性，後者不可動易壞。

藝術玩具要成為藝術品，最欠缺的我想就是可把玩的程度吧！愈無法把玩或是愈讓人不敢把玩的就愈藝術，例如奈良美智的失眠娃娃，有誰會無聊沒事把它拿出來把玩呢？大多數人只會把它放在盒子裡或擺放在某個固定的地方。另一個例子是 Mike Mignola 的 Hellboy 雕像，我想大家也會把它歸放到藝術品，畢竟完全不可把玩又怕摔，這麼也無法跟玩具聯想在一起。

要邁向藝術家的設計師的行列，自言還在努力學習中。

你怎樣看藝術玩具在台灣的發展？藝術玩具發展的因素是甚麼？

藝術玩具的發展因素，我覺得應該是炒作、風格與聯乘合作。除了風格要對之外，還要堅持，而最重要的就是炒作啦！

犧牲買玩具
維持網站
營運

Facebook · 玩具人 TOY PEOPLE

Website · toy-people.com

二〇一一年於台灣成立的玩具網絡媒體，目的在於整合並提供最新的玩具新聞與最深入的專題報導，讓玩具收藏變得更加專業，使收藏玩家們獲得一個全新的身份認同，並能結識更多同好。

玩具人

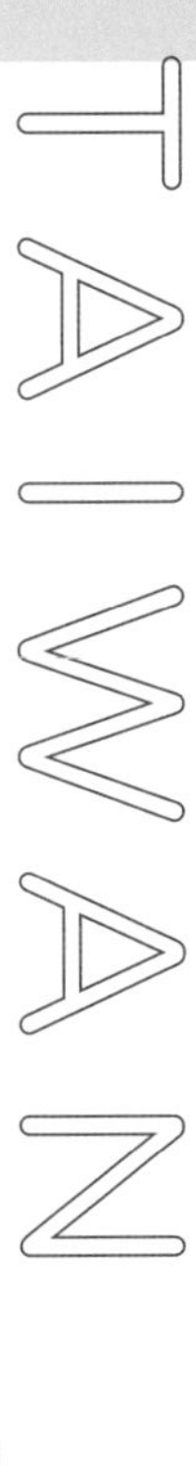

可以介紹一下玩具人（Toy People News）的幕後主腦嗎？二〇一一年時，你們為何會走在一起，並立志要辦一個只報導玩具新聞的網媒？

玩具人目前主要有五位成員：熊倒、奶油隊長、玩具課長、小鬼，以及愛玩犀牛。當初，因為大家都很喜歡買玩具，也因為買玩具、交流玩具而認識。在聊天的過程中，大家發現有電玩遊戲、電影、3C 專門的資訊平台，那為甚麼沒有一個以分享「玩具資訊」為主的平台?! 加上每位成員每天都會瀏覽世界各地的玩具網站，看看有沒有新玩具可以買。因此大家秉持著一份對於玩具的熱忱，成立了這個網站，希望藉由專門報導玩具新聞，來讓亞洲的讀者認識我們所喜愛的玩具，算是一種單純從分享出發所成立的網站吧。

玩具人即將踏入第七個年頭，遇到的風浪也不少。成長的過程中充滿了血淚嗎？最讓你們意志消沉的是甚麼時候？

成長的過程當然充滿著血與淚啊！前兩三年，大家都非常有熱誠地希望能將這個網站建立起來，每天都非常的努力尋找、報導來自世界各地的玩具新聞。然而，愛情與麵包總是難以兼顧，因為當愈來愈多人喜愛我們的報導，網站的硬件配套就需要更多的經費來維持，最後大家要犧牲每個月購買玩具的支出，來維持網站的營運。還記得當時，玩具人的伙伴們時常聚集起來討論是不是要就此打住，但我們還是相互勉勵堅持，繼續朝著我們的夢想前進。

有沒有遇過讓你們眼界大開的事？

還記得玩具人網站成立之初，我們特別開闢了一個名為「玩具探險隊」的單元，旨在讓各位玩家看到自己所收藏的玩具品牌公司內部的情況。

後來，我們如願地拜訪了 Hot Toys、threeA、How2work 等玩具公司，或是玩具教父 Michael Lau、Kenny Wong 的工作室參觀報導。這次能夠體驗到這些玩具傑作的誕生地，是相當難能可貴的。

之後，再受到 Bandai 的邀請到日本靜岡參觀鋼彈工廠，能夠親眼見識到玩具的誕生，是相當獨特且難忘的回憶。

你們是怎樣發掘報導題材的？

我們一開始就提到，玩具人是由一群熱愛「買玩具」的人所組成的。大家都有各自所喜愛、所收藏的玩具系列，因此大家對不同的玩具品牌、玩具設計師有著一定程度的了解。而在採訪之前，除了玩具人伙伴之間多次來回溝通、討論之外，我們也會去詢問收藏該設計師玩具的玩家們有沒有甚麼想知道的事情，而後才擬定完整的採訪題目；此外，我們亦會上網搜尋過去相關的報導與介紹，讓自己對該設計師、品牌有一定的了解。

值得一提的是，其實我們都是抱著小粉絲的心情去採訪這些玩具品牌與設計師，所以許多問題都是我們自己很想知道的，在某種程度上也代表了許多粉絲的想法。

你們的報導比較偏重國際性，較少報導台灣本土的品牌，反而香港設計師、同業倒也不少，可否說說原因？那是因為在台灣原創品牌或玩具產業的發展比較沒那麼蓬勃，還是跟你們的定位有關？

首先，我們並沒有少報導台灣本土的玩具品牌，台灣有許多知名的品牌與設計師，例如：野獸國、玖零零原型工作室、Shon Side、fufufanny、羅賓唐跟你鬧著玩的、J.T Studio 等。玩具人是非常致力於推廣台灣本

土的玩具品牌的。某種程度上，台灣的玩具產業相較於日本、香港的確比較不蓬勃。台灣的玩具設計師都是自己創業、自己生產作品，故在新產品推出的速度不如歐美、日本、香港等具有規模經濟的品牌來得快速。此外，對於成立一個玩具品牌所需要花費的時間、金錢等成本，也是導致許多年輕人想投身玩具產業的一個非常大的阻礙。

你們有開放投稿，讓其他玩具愛好者都能分享自己的收藏。但也不是一開始就開放的，為甚麼會有此考慮？

其實「玩具人投稿」是從網站建立之初就有規劃的！然而，如同我們一開始提及的，需要開放這樣的功能會需要更多的資源投入，包含網站開發的支出、人員的成本等等。因此直到去年網站營運逐漸上軌道，在網站改版之後，也就將這個投稿機制上線了。

作為跨地域的網絡媒體，可評價一下現時各地的玩具發展方向嗎？

毫無疑問，每個地區的玩具發展都是不同的。隨著電影產業與技術的與時共進，歐美市場還是以電影角色所延伸的商品為主！

在亞洲地區，日本、香港無疑是領頭羊，日本市場以漫畫、動漫產業為基石，可說是帶動了相關漫畫玩具市場的發展，如雷鳥鋼彈、海賊王等。扭蛋、盒玩作品也一直在全球擁有廣大的粉絲。近兩三年來，日本軟膠的蓬勃發展亦帶動了整個亞洲地區玩具市場的轉變，也帶動了設計師軟膠作品的發展。

在香港，Hot Toys、Enterbay 等一線品牌亦帶動了許多新銳的小廠牌出現。不同品牌、商品快速的出現無疑加速了整個產品的生命周期，加上軟膠趨勢的出現，近一年一比六比例市場萎縮的非常快速。

韓國有著政府的加持，在近兩三年設計師玩具的發展快速，簡單、可愛、療癒的設計元素帶動了整個玩具市場的發展，但這樣的風格要如何進軍兩岸三地、日本，以至東南亞等市場還有待觀察。

如果玩具產業要能健康地發展下去，你們覺得需要甚麼條件？

二手市場的發展對於玩具市場來說，有炒賣空間就意味著有商機，所以會有許多玩家收藏這些玩具。然而，當沒有炒賣機會時，可能也會帶來惡性的出清存貨、販售風潮。玩具的價值是需要二手玩具市場的支持，當玩家們對於玩具作品的販售、交流都秉持著不炒賣、不賤賣的心態時，是有助於整體市場的發展。

此外，零售商、通路商販售價格一致也扮演著非常重要的角色，不同販售通路、管道的出現，亦提高了玩具產業資訊透明化，若是有商家開啟了價格競爭，則會導致整體市場的不健全。

另一方面，近年來由於超級英雄電影、《星球大戰》當紅的緣故，所以相關的玩具可說是鋪天蓋地而來。身為星戰迷，有多種款式的玩具當然開心；另一方面，約一比十二比例的鋼鐵人，市面上就有五六種以上不同的品牌系列，我對於這樣的局面感到無趣，希望能夠看到更多不同主題、不同創意的新玩具，這樣玩具的發展才會有活力啊！

要成功推廣玩具的價值，關鍵在哪裡？

價值是某個特定事物對一個人所帶來的意義與有用性；然而，同一個玩具在不同人的心中也會有不一樣的價值。 因此，與其去思考玩具的價值，不如回到最根本，去探討玩具到底為你帶來甚麼?! 創造出玩具品牌、玩具獨有的個性來建立專屬於品牌的價值。

以此為延伸來思考，以今年暢銷熱賣的「超合金魂 GX-71 的五獅合體百獸王」，不論是製作、售價，都是針對資深、有一定年紀的消費者所推出的作品。簡單來說，找到符合你的目標消費者就能成功推廣。

香港有一本歷史悠久，曾經令設計師玩具走向高峰的潮流玩物雜誌《TOUCH》實體版結束，未來將轉型為網絡雜誌。你們作為網絡雜誌，會否認為網絡版是趨勢所在？在推廣玩具資訊方面，你們又怎樣看實體與網絡雜誌的分別呢？

隨著科技、3C、無線網路的發展與進步，「網絡化」無疑是現今、未來發展的主要趨勢。無關品質的好壞，人們的生活已經被數位化，透過智慧型手機、平板電腦，只需要開啟 App 或是網頁，即可瀏覽數以百計的雜誌、書籍。此外，不同媒介如 Facebook、Instagram、Twitter、微博等平台的出現，加速了資訊擴散的速度。如果你要問我們實體與網絡雜誌最大的區分，無疑就是「速度」與「量」的差異。

最後，可以請編輯們分享一件自己最喜歡的玩具嗎？

只推薦一件真的很難！

- 竹谷隆之的名將 Movie Realization 系列
- MOTU 經典系列 He-Man 2.0
- Kit Lau 的酸雨戰爭系列
- Sticky Monster Lab 的作品

一種全新的身份認同

除了傳統給小孩子玩的玩具，近年也出現了設計師玩具、藝術玩具等。對你們來說，「玩具」是甚麼？

對我們來說，玩具是沒有年齡、性別、身份及階級之分，而「玩玩具」也不單純是一種娛樂，而是逐漸發展成為一種全新的身份認同、新的品味代表，這也是我們所提出「玩具人」這個名詞的概念！

對我們來說，男生可以去收藏很可愛、很療癒的玩具，女生也可以去買很硬派、很帥氣的玩具；大人可以玩小孩子的東西，有錢的時候可以入手昂貴的夢幻作品，沒錢的時候也可轉扭蛋、買盒抽等都是所謂的「玩玩具」！我們認為玩具可以被分成不同的類型，但我們無法去定義玩具，因為每個人的喜好都不同，大家對玩具的定義也不同；唯一相同的是，玩具是一個可以帶來歡樂、好心情的東西！

你們覺得藝術玩具是藝術嗎？藝術玩具又如何與傳統玩具劃分界限？或者甚至是沒有界限？

玩具當然是藝術！但如同我們前面所提到的，我們是無法定義玩具的，因為在每個玩具人的心中，這個「界限」都不同！舉例來說，對某些死忠的粉絲而言，Michael Lau 的作品是藝術作品，是需要細心保存的藝術精品；但對另一群粉絲而言，Michael Lau 的作品是玩具作品，是要瘋狂的把玩、帶出外拍照，甚或可改造成自己喜歡的風格。

所以對不同的玩具人來說，大家對於玩具的界限，或是界限的存在與否，都是有不同的。

開拓更多與人溝通的途徑

Facebook · Pex Pitakpong Jamesripong / maribypex
Instagram · 99tukpong

創作原動力來自童年故事，喜好是收集玩具。希望透過做好自己的作品，令到更多人願意收藏，激勵泰國設計師建立自己的品牌。作品包括 Mari, Wonder Girl、Horn 和 Mira cat。

PEX PITAKPONG JAMESRIPONG

CH 2.17

THAILAND 泰國

你是一個插畫家，你是如何開始創作玩具的？

就個人而言，我的愛好是收集玩具。作為設計師，我想收集我設計的東西。我有機會和一個朋友談話，他是泰國 Hot Toys 進口商 Kingdom Come 的負責人，我們都擁有同樣的夢想。我們意識到泰國已經有很多進口玩具收藏品，所以我們應該要做好自己的作品，令外國人願意收藏，這就能夠激勵泰國設計師開始建立自己的品牌。而這是成立公司 K

Productions 的起始點。

你設計的角色都非常可愛，能談談背後的想法和故事嗎？你想通過作品傳達甚麼訊息？

這三個角色（Mari, Wonder Girl、Horn 和 Mira cat）生活在同一個世界。二〇一三年我在隨手繪畫中創造了 Mari。我當時想到了經典童話故事小紅帽，把黃點加到她的紅色披風斗篷中，創造了她獨特的服裝。Mari 是一位富有想像力的樂觀主義者和動物愛好者，即使她面對陌生的情況，也不會感到恐慌。

Mira，Mari 的貓伙伴，是一個外星人，我想像所有貓都不是地球動物，而是來自古埃及時代開始來自其他更聰明的星球。因為發生了事故，貓星人不能回家，而且所有的記憶都已經消失了，就成為了今天我們所認知的貓。Mira 計劃把她的貓祖先帶回星球。不幸的是，太空飛船壞了，因此 Mira 必須找出修理太空船的做法。Mira 見到 Mari 後，就賦予她魔力看到地球上的外星人，Mari 就可以跟他們溝通，知道如何維修太空船。

而 Horn 是一隻躲在森林裡的外星人，他保護大自然，阻止試圖摧毀大自然的壞人。人類相信 Horn 是森林的神，其魔力乃來自頭頂的角。

為甚麼你會創造可愛的女娃角色，而不是傳統男性的玩具？根據你的觀察，哪些人是顧客？

我收集了很多七十年代的日本娃娃，每次我看著它們都會感到高興。其中一些讓我想起現時的藝術玩具，它是我創造小女孩角色的起點。而外星人或機械人的角色通常來自電影、動畫或漫畫書。如果設計出色，這

Mari 的任務就是要替貓星人 Mira 維修能回到所屬星球的太空船。

Pex 喜愛收集七十年代的日本娃娃，是他創造小女孩 Mari 的起點。

Mari（上）、Horn（左）、Mira cat（右）。

些角色是可以得到消費者的歡心的。

我的朋友，不僅是女性，男性都會喜歡收集娃娃。

你的靈感來自於甚麼？甚麼文化影響你最深？你喜歡日本動畫角色像 Kamen Rider（仮面ライダー），是嗎？你喜歡日本的可愛文化（Kawaii Culture）及怪獸文化（Kaiju Culture）嗎？

我的靈感來自許多東西，如歌曲、電影、漫畫和吉祥物。然而，主要推動力來自我的童年故事。我認為孩子總對他們喜歡的東西留下印象。當我年輕時，泰國有許多日本英雄電視節目，我不能否認日本節目影響了我們這一代很多，令到有些人想成為卡通作家或創作動畫。

大多數人喜歡可愛的日本文化，因為所有角色很親民。例如，我對日本不二家（Peko）的牛奶妹一見鍾情，這亦影響了我設計的 Mari。

談及怪獸，我被 Sofubi 玩具迷住了。這種玩具有不真實的身體比例，但也因為擁有明亮的顏色而迷人。我認為它不只是玩具，更是藝術品。此外，它就如藝術，需要更長的製作時間，以及售價要更高。

你收集玩具嗎？你能跟我們分享最喜歡的玩具或個人愛好嗎？

我收集各種玩具。我最喜歡的並不一定是昂貴或稀有的項目，它與記憶和感受有關。

Pex 與 BE@RBRICK 合作推出聯乘版本。

我最喜歡的是，《昆蟲物語》（*The Adventures of Hutch the Honeybee*）中，Hatchi 角色的一款擠壓玩具。第一次看到它的臉和外形，我就愛上了。而且這個故事，也跟我和姐姐的回憶有關。我姐姐每次看都會哭，因為

Mira cat。

那是悲傷的故事。

我的另一個愛好就是收集日本漫畫家的簽名，它讓我感到跟作者能如此接近。

誰對你的創作影響最大？

手塚治虫創造的角色對我的作品影響很大。他簡單的繪畫，混合了日本和美式風格，十分迷人。而且他亦擅於敘述有深度的漫畫故事。奈良美智的藝術也啟發了我很多。

你的作品的主要材料是甚麼？為甚麼選擇此材料？

我選擇軟膠作為主要材料，因為夠輕、堅固。個人而言，我收集的玩具也主要是這種物料。壞處是我們必須一次過大量生產。它跟能夠少量生產的樹脂不同。然而，樹脂比較脆弱，我不喜歡。

你在創作的過程中感到最幸福的是甚麼？甚麼是最令人沮喪的事情？你在做創作時遇過困難嗎？

工作成就及跟我的設計接近的產品，就是我工作中最幸福的事情。生產或許會遇上問題，但能夠解決又是另一種樂趣。

令人失望的是，我們做不到我們心目中的產品。但不要過度著緊客戶的反應，我們盡了最大的努力，順其自然吧。我們必須接受結果，繼續向前行。對創作者來說，這鼓勵是很重要的。

我很少有設計上的問題，因為我總是從我的個人感覺出發而創造。順帶一提，如果我根據銷售增長來創作，我就會感到困難。幸運的是，K Productions 的營銷部門會替我關心。

你的作品曾在泰國和台灣展示。根據你的觀察，公眾對你的作品，以及對這種玩具的態度是怎樣？

整體來說，Mari 只是出現了很短的時間，人們可能還未認識她。而且，Mari 不是從漫畫或動畫中誕生，她直接就是藝術玩具。我透過繪畫、藝術作品講述 Mari 的童話故事，我會盡量開拓跟更多人溝通的途徑。

在泰國，由於 Facebook 及雜誌上的展示，玩具收藏家對藝術玩具的態度比過去更開放，藝術玩具經銷商也更多。Mari 很可愛，人們很容易愛上她，而且發展很好。

你對香港的玩具創作人有甚麼看法？你曾跟他們合作嗎？誰是你最喜歡的香港玩具創作人？

過去二十年，我看到香港藝術玩具創作人。當時我對這些作品並不感興趣，但是當我看到 Michael Lau 的傑作時，我想了解更多。另一個我喜歡的藝術家是 Kenny Wong，因為他創作女孩的角色。我沒有機會跟香港創作人合作，但我跟日本創作豆腐人的 Devilrobots 有合作。

更親民的雕塑藝術

你的作品是藝術品還是玩具？你對藝術玩具有甚麼看法？藝術玩具不同於一般玩具和藝術品嗎？

我想我的作品是藝術品更甚於玩具，因為我的主要作品是美術（Fine Arts）。我認為藝術玩具是雕塑藝術，更親民，就像普普藝術。相比之下，玩具是設計來玩耍的，它是大眾市場的產品。

藝術玩具的主要目的是收藏，所以大多數是限量版，目標受眾更少。最近，老式玩具再次被生產，以回應收藏家的需求。過去它們只是一般玩具，所以有時很難定義。不僅限於生產者的目的，而且還取決於消費者。

你如何看待泰國藝術玩具的發展？公眾對這種原創玩具的反應如何？藝術玩具在泰國受歡迎嗎？ Thailand Toy Expo 的氣氛怎樣？

在泰國，人們對藝術玩具更感興趣，他們會舉辦小型展覽介紹和銷售藝術玩具。跟其他國家比較，泰國的消費者較少。藝術玩具在外國被廣泛接受，從電影或動畫衍生的玩具更受歡迎。

在泰國有沒有展出藝術玩具產品的畫廊？

大型展覽總是展示藝術品。關於藝術玩具的小型會議，每年只有兩至三次。

你認為泰國政府在促進藝術玩具 / 原創玩具的發展方面發揮了作用嗎？

泰國政府可能不知道藝術玩具，所以要得到他們的支持是相當困難的。創作人必須自己嘗試，許多人試圖出口他們的作品，打開新的世界，以有更多的機會。

藝術玩具要能在泰國更加蓬勃地發展的條件是甚麼？

Pex 認為自己的作品是藝術品更甚於玩具。

許多部門必須提供財政支持和展示場地，說服大眾藝術玩具是藝術品，而不只是玩具。更多的展示，能讓更多人了解藝術玩具。藝術玩具的市場更加強大，創作人就可以將它作為未來的主要職業。

你的目標是甚麼？

我希望將來能夠持續創作，每年至少在泰國內外的展覽展出一次。 此外，我將創作更多藝術玩具。我的夢想是讓更多人知道和喜愛 Mari。

玩得專業成為潮流推手

Weibo · itoyz

玩偶狂人，終極嗜好是攜玩偶出遊並留影，因為熱愛玩具，遂成了 iToyz 主腦，並晉身為廣州潮流藝術空間 PLAYGROUND 合伙人，著有關於藝術玩具書籍《玩偶私囊》。

李國慶

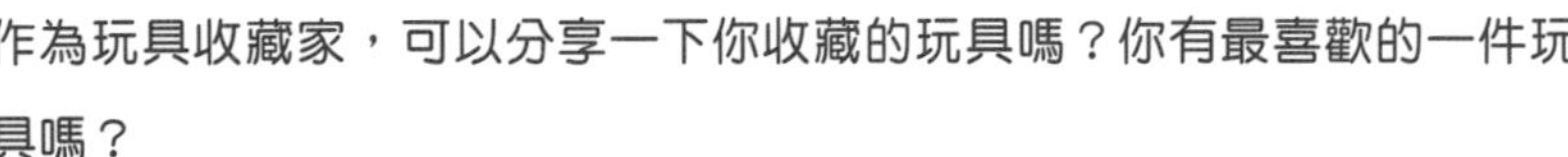

作為玩具收藏家，可以分享一下你收藏的玩具嗎？你有最喜歡的一件玩具嗎？

我大概從二〇〇二年開始正式收藏玩具，目標主要是設計師與藝術家玩具，以及一些潮流及平台玩具。一直比較喜歡的藝術家包括：KAWS、Ron English、Gary Baseman、奈良美智、Kathie Olivas，以及香港的Kenny Wong、Kasing Lung 等。現在看來，我的眼光還不錯，這些藝術家愈來愈火紅。而我最喜歡的玩具是 KAWS 的系列作品。

你對收藏的取態是怎樣？

我的收藏態度，首先是自己喜歡，喜歡的條件可能會包括藝術家、廠牌、玩具設定、質量、價格及升值潛力。對我來說，升值與否並不是首要條件，畢竟超過一半以上的玩具可能今後都不會升值。當然，作為一個長期的收藏家，肯定會對升值與否有一定的敏感及判斷，畢竟收藏也可以看作是一種投資，如果投資有一定的經濟回報，實際上也證明了自己的收藏目光。所以我的確是會收藏一些價格比較高的「玩偶重器」。

玩具對你來說是甚麼？你平常會怎樣「玩」玩具？

玩具是我的一個好朋友，可以陪我去旅行，可以成為我相機裡的主角，可以是我與同行交流的話題，可以是社交工具上值得炫耀的 icon，可以是我的工作與娛樂的一部份，可以是提升藝術品味的老師……所以，我與玩具之間的關係，可能並不局限於「玩」，更多是人與物的一種溝通與交流。

你覺得香港的設計師怎樣？

我覺得香港誕生了 Micheal Lau、鐵人兄弟等曾經在全球市場有一定影響力的設計師，也誕生了 How2work、Toy2R 等藝術玩具領域的知名品牌，對這個行業的初始發展，可以說是居功至偉。但是在藝術玩具發展的中後期，隨著美國及歐洲著名藝術家的強勢介入，香港設計師的設計

李國慶（右）、Ron English（左）與他的巨型癡肥麥當勞叔叔在廣州街區留影。

力及影響力都有所下滑，目前引領的風潮更多是在亞洲地區。

你曾經跟著名設計師 Ron English 秘遊廣州，可以分享一下那次的經歷嗎？

嗯，當時是美國玩具品牌 Mindstyle 的老闆 MD，把 Ron English 帶到廣州 iToyz 的實體空間 PLAYGROUND。作為美國當代普普藝術文化非常重要的藝術家，Ron English 特別像個鄰家的大叔，接受了我的採訪，解答了很多關於藝術、玩偶及收藏的疑問。而我們還把他的巨型癡肥麥當勞叔叔搬到廣州的街區，他像個專業攝影師一樣，蹲在街邊拍攝。對第一次來到中國內地的他來說，一切都很新奇。

你在淘寶經營網店，同時亦有開設實體店、經營代理、舉辦攝影展、出版書籍如《玩偶私囊》等，可以談談你個人的目標嗎？

其實，我本身的正職是雜誌主編，玩具只是我的一個業餘愛好，但是我始終有一個信念，就是玩也要玩得專業，玩到某個境界才有趣。所以，我把自己的身份角色更多定位是「推手」。因為早期收藏正版玩具的渠道有限，我就努力把一些相熟的品牌代理進來，所以才有了 iToyz

玩具是旅行時的好伙伴。

這個品牌的出現。因為電子商務市場比較成熟，我們不但在廣州有實體店，也一直在淘寶有網絡專門店。

我本身是從事媒體行業，有一些文字、攝影及宣傳企劃的優勢，為了讓更多普羅大眾認識並喜歡藝術玩具，我們就有意識地去採訪很多藝術家，帶玩具去旅行並在畫廊進行「玩偶照相館」的攝影展，還推出了第一本藝術玩具領域的入門書籍《玩偶私囊》，比較有意義的是，經常遇到朋友說，因為這本書而開始並迷上收藏玩具，甚至捧著我的書去找介紹過的玩具，非常感動。

同時，我還嘗試運用不同的渠道來宣傳藝術玩具，譬如接受各類媒體的採訪，跟星巴克、聯想、K11，以及一些地產品牌合作舉辦展覽及各種分享活動，通過博客、微博、微信訂閱號等社交媒體的力量，讓更多人愛上玩具。

玩具店售賣的種類分佈如何？香港的玩具品牌大約佔多少？

我們玩具店售賣的主要是獨立藝術家／設計師玩具，以及 Dunny、BE@RBRICK、Qee 等平台玩具為主。隨著這幾年全球經濟及玩具市場的變化，現在香港玩具品牌有復興之勢，差不多佔我們店舖的百分之四十左右。

根據你的觀察，內地市場比較偏好哪類型及品牌的玩具？譬如，大家對於 made in HK 的反應是怎樣？會比較喜歡歐、美、日的品牌嗎？

內地市場因為人口基數比較多，所以即使很小眾類型的玩具，也可能有很多人購買。現在購買的玩家主要是八十、九十後，他們更看重的其實是「萌」與「賤」，符合這兩個特點的玩具，即使設計師的知名度一般，也可能成為忽然受歡迎的黑馬。內地的玩家對於歐、美、日、韓，以及香港的玩具，差不多是抱有同樣的信任，made in HK 也是一個很好的品質保證。但隨著愈來愈多年輕人走出去，創意、自信及視野不斷養成，一些內地設計師及品牌推出的自主玩具也開始有很多粉絲追捧。

可以分享一下在內地經營玩具店的困難及優勢嗎？

優勢其實就是消費力逐漸提升，加上這麼多年的培養，喜歡玩具的人比之前有了一定的增長。困難其實還是蠻多的，因為玩偶的利潤率比較低，進貨渠道不暢通，很多玩偶又是限量版，以及諸多有形無形的限制較多，加上實體玩具店的成本非常高，能夠一直開下去的理由只有一個：堅持。而如果是單純的網店銷售，又會捲入另一場戰爭，互相殺價、廠貨及翻版、炒作等。

你挑選代理品牌的準則是怎樣？

我希望代理的品牌，是像 How2work 這樣具有持續性規劃與發展，由熱愛來主導的品牌，可以不斷有計劃地推出有成長力的設計師，附加優秀的製作品質，而不是純粹的為了商業利益而存在。跟品牌的合作方

李國慶的收藏態度，首先是自己喜歡。

面，我們更側重於長期的合作，一同成長一同去推動，而不是一種膚淺簡單的買與賣，還包括各種媒體、社交、市場及宣傳層面的互相推動。所以，也希望有更多相同目標的品牌能夠跟我們一起努力。

你認為在推動潮流方面，玩具店有沒有一個主動的角色？玩具店有沒有一個使命去推動本地創作者的發展？

如果從我及 iToyz 的定位來說，我們首先是去推動潮流，推動本地創作者的發展，然後才是售賣玩具的一個空間。一間玩具店的魅力，也應該是具有獨立價值的存在，玩家可能會因為玩具店的影響，而喜歡一個設計師，一件玩具，一個品牌。

現時流行網絡銷售。你覺得網絡銷售會是大趨勢嗎？實體店的價值在哪？

因為長尾效應，以及電子商務平台的成熟，內地的網絡銷售比較領先。iToyz 網店今年已經是第十二年，所以會有一些經驗參考。網絡銷售一定會佔領市場的一部份份額，甚至也會愈來愈多。實體店的定位可能會更傾向於一個旗艦店，類似是藝術的展覽空間，也是玩家的交流陣地。我的判斷是，實體店未來還會有一個新的高潮，因為現在很多年輕人發現城市裡好玩的地方愈來愈少，大家會有新的需求。而作為一個玩具店店主，我會覺得有客人在店裡欣賞玩具，即使不買也是比較開心的事，有很多細節不是一張網絡圖片可以感知的。

潮流是短暫　藝術才是永恆

你如何看待藝術玩具？曾經有「設計師玩具」一詞，現時比較多人談論「藝術玩具」，藝術玩具與普通玩具或藝術品有沒有分別？

我覺得藝術玩具、設計師玩具，甚至是潮流玩具，這三個名詞裡本身有一些重疊，藝術家本身可能也是設計師，在潮流平台玩具裡也會有藝術家的身影，如果只能有一個名字，我希望是藝術玩具，因為潮流是短暫，藝術才是永恆。藝術玩具與普通玩具當然不一樣，首先它是來自於藝術家的創作，更合適的歸類是藝術延伸品，是當代限量生產的另類雕塑。

這麼多年來玩具的功能是否已經轉變？有人說已經從玩樂功能轉移至欣賞性，趨向比較貼近藝術玩具的發展。你認同這個講法嗎？

功能性的玩具，更像是小孩子的玩具，其實在升值方面是比較差的；倒是純欣賞及展示類的藝術玩具，才會有更大的保值及升值的空間。

在物料、款式、產量等方面看，你怎樣理解藝術玩具發展的趨勢？藝術玩具最終會成為拍賣會的常客嗎？

十多年來，藝術玩具的材質與物料都有了各種嘗試，但萬變不離其宗，真正具有決定價值的其實仍是藝術家及藝術玩具本身的魅力，而不同材質的嘗試最多是錦上添花。現在的藝術玩具，因為有知名藝術家的加盟，愈來愈像是藝術延伸品；再加上是限量的，隨著時間的推移，必將是拍賣會的常客。實際上像奈良美智及 KAWS 的玩具，已經多次出現在藝術拍賣會。

現時內地的技術愈來愈成熟，具創意的設計師也增加，但似乎內地市場仍然給人在起步階段的感覺。能從供求方面談談你對內地藝術玩具市場的看法嗎？

由於文化、購買力及愛好不一樣，內地的藝術玩具市場其實一直在成長中，跟成熟的市場還有一定的距離。加上牆內開花牆

李國慶是玩具收藏家，也是藝術玩具的推手。

外香，內地的玩家相對來說，還是比較喜歡外地的設計師作品，這也是非常正常的現象。但是這一現象正在慢慢發生改變，可以肯定的說，藝術玩具市場在內地會愈來愈大，愈來愈成熟。

若果藝術玩具在內地要發展，你認為還需要甚麼因素？

正本清源，鞏固相對穩定的發售及宣傳渠道，不要目光短淺，把藝術玩具變成一種隨處可見，發行量過大，限時炒賣的普通商品。

內地的炒賣氣氛狂熱嗎？你認為炒賣是好事還是壞事？

炒賣本身，會對市場有一定的推動作用。但從長期來看，可能負面影響更多，例如一旦市價回落，便會讓設計師及品牌的價值下滑，甚至被冷落。

內地有相關政府部門支持藝術玩具的發展嗎？他們對藝術玩具的態度是怎樣？

雖然已經有了十多年的發展，但是對內地的相關部門來說，藝術玩具還算是一個比較新鮮的事，他們對於藝術玩具的態度更多是在觀望中，可能還需要一個「聚爆力」來打通，而這也是我一直堅持的理由。《玩偶私囊》推出的 2.0 版本，是大幅修訂的新版，希望能夠讓更多玩家加入藝術行業的收藏隊伍中。

去掉過度設計沉澱出力量

Facebook · Maizi Art

Instagram · maiziart / Website · JOURrNEY.com

曾為漫畫家、遊戲美術設計師，現為玩具創作人，主要作品為 JOURrNEY 系列，喜歡到處旅遊，暢遊在他人構建的世界，重新激活五感。

麥子

MAINLAND CHINA

你是畫漫畫的，為甚麼後來又想到要做玩具？漫畫對你的玩具創作有影響嗎？

很多年前乘坐火車，感動於隨風搖曳的麥田像金色的海洋，就取名做「麥子」，本名宋威。在出版漫畫以前，做過遊戲美術設計師，很早就想做玩具。漫畫講故事，玩具則把故事以立體呈現出來，角色的形態、神態，每個細節都因為有故事做依託而顯得生動。

可以談談 JOURrNEY 系列嗎？聽說背後有一個很動人浪漫的概念？這個系列有十二個角色，每個角色背後都有一個故事，可以挑選三個故事跟我們分享嗎？

JOURrNEY 中間的 r 是 rhythm 的首字母，「旋律伴隨著旅程」的意思。

十二個角色既有單身也有 couple。黑桃是馬戲團最搏命演出的小丑，趁著隨團去各個城市表演的空檔，總會在各處為紅桃拍照，這樣等他賺夠錢給紅桃做了眼部手術，她就看得到漂亮的自己和這個絢麗的世界。他們在邊境小城遭遇一起醉駕車禍，肇事者 Nivo 被警察關進監獄，而此時警車電台裡正報著一則緊急新聞，博物館一幅名作失竊，全城戒嚴。當所有警力都部署在各個關卡時，躺在監牢裡的 Nivo 不禁為自己的伎倆得意。六個月後 Nivo 出獄，在一艘船上和胖胖又爽朗的船長 Stone 閒談，講了自己的俠盜生涯，Stone 雖然半信半疑，但他覺得這是很有趣的睡前故事，會講給他的女兒聽。船艙之內，Stone 輕撫著一個小盒子，繪聲繪色的講起了他剛聽到的故事。

看你的微博，你好像很喜歡到處旅行，旅行對你創作的好處是甚麼？

相比埋頭工作又諸多不如意的日常生活，旅行讓自己變成旁觀者、局外人，暢遊在他人構建的世界。五感像被重新激活，變得異常敏銳，女人的笑意，色彩的純度，空氣的濕度，絲絲的氣味，聲聲的鳥鳴，一切都慢下來，清晰可辨。這些情感會讓作品具備生命感。

可以談談你的另一個反戰系列 NO WAR BOBO 的樹脂雕塑嗎？為甚麼會以女性的裸體來表達對世界和平的渴望？這個系列全是你親手做的，為何選擇不做活動關節？

借以陰陽的概念，如水的女性象徵包容化解，另有一個男性角色。而不選擇活動關節，是為了區分玩具和雕塑。

你曾經說過造型、配色、身上的紋身都要先繁後簡地處理，把過度的設計去掉。可以談談你創作背後的概念嗎？這種做法可以怎樣傳達訊息與感情呢？

JOURrNEY 系列中的 Nivo（左）、Stone（中）及 Sam（右），他們背後都有一個故事。

借用一個詞作解，中文裡的「古董」最初寫做「骨董」，是指文化藝術沉澱下來的骨幹，血肉皮囊包裹其上，伴隨生長最終消逝。通過模擬這個生長過程，先繁後簡，提煉出傳神又有力量的那部份。我的角色都不做眼神，如同烈日在臉孔上留下的陰影，產生似有似無的溝通感。

你曾嘗試用木雕成玩具，有想過以後不用搪膠，而用木做作品嗎？

給作品找到適合的材質，是我一直嘗試和學習的；材質是媒介，內容是靈魂。

你平常會收藏玩具嗎？可以分享一下收藏的玩具或個人愛好嗎？

現在已經很少收藏，不過從前很熱衷，譬如孩之寶、Bandai、海洋堂、Hot Toys、Medicom、鐵人兄弟、Michael Lau 及 Eric So 等的玩具都有收藏。

麥子創作的角色都不做眼神，以產生似有還無的溝通感。

靈感多數來自甚麼？自己比較多受甚麼文化影響？

我的愛好很多，常感覺時間很少。搖滾樂、鄉村音樂或蕭邦的音樂都會令我有各種想像和畫面感，健身時感受和幻想肌纖維斷裂又重組的樣子，嘗試不同蔬菜搭配的味道，哪種顏色和機理可以用在畫裡。文化的影響就像是水落石出的過程，互聯網讓這液體的色彩斑斕，但最終露出來的石頭是甚麼樣子，是滑溜溜，是長滿青苔，或是變了質，石頭自己是看不到的。

你認識鐵人兄弟成員之一的 Winson Ma，並且似乎很友好。可以分享一下你對香港設計師的看法嗎？

認識 Winson 前輩是跟另一位鐵人兄弟成員 Kenny 前輩有關。多年前在展覽的前一天去熟習環境，幸運地偶遇 Kenny。不久之後在杭州展會上，Kenny 的引見讓我認識了 Winson。我也因為收藏而熟悉了很多香港設計師，勤奮、強韌、才華橫溢是我對他們的粗淺印象。後來有幸近距離接觸才有更多維度的認知，不做不快的熱愛才是真正的驅動力，由衷欽佩。

將來你有想要達成的目標嗎？

有籌劃有趣的雕塑展，想收門票。

沒有藝術只有藝術家

除了量產產品以外，你也有做一些雕塑作品。你覺得自己的作品是藝術品還是玩具？你怎樣理解藝術玩具這件事？它與一般玩具有何分別？藝術玩具與藝術塑像又有分別嗎？如果有，藝術玩具要成為藝術品還欠甚麼？

如你所說，一部份是產品，一部份是作品，希望我可以逐漸的把它們區分開。藝術玩具由起初的白模「立體畫布」概念到「造型即藝術」是在演變的，這種從概念到表現形式的演變讓它具備藝術性。像是漸進的審美需求，有門檻。比如欣賞音樂劇或看立體主義繪畫，需要一定審美門檻才體會其中妙處。不過話說回來，一件產品或作品能給人帶來精神層面的愉悅，並能促成消費，是很好的。

至於藝術玩具與藝術的分別，就像藝術玩具這個名字一樣，藝術和玩具各分離一部份屬性，形成一個新的層面，不是玩具，也不是藝術。英國學者貢布里希（Ernst Gombrich）說：「沒有藝術只有藝術家，所以最終藝術玩具成為藝術品，取決於它是誰的作品。把單車前輪拆下來擺在凳子上，在便斗上簽名，我做了沒人理會，杜尚（Marcel Duchamp）做了就是藝術品。」

你怎樣看藝術玩具在中國內地的發展？內地消費者對這類玩具的反應如何？

我要再多出一些產品，多些實際的數據支撐才能回答。

藝術玩具在中國內地要健康地發展，還需要甚麼因素？

內地各城市間的經濟體量和文化程度差異太大，行業發展不是個人意志能決定。專注作品，做好份內事為先。

從電影中領略時代精神

Facebook · Ruins Kung
Instagram · ruinswork / Website · ruinswork.com

全職的玩具設計師，目前以創作十二吋 Action Figure 為主，主要作品包括三個系列「水世界」、「夢旅人」和「朋友們」系列。

RUINS KUNG

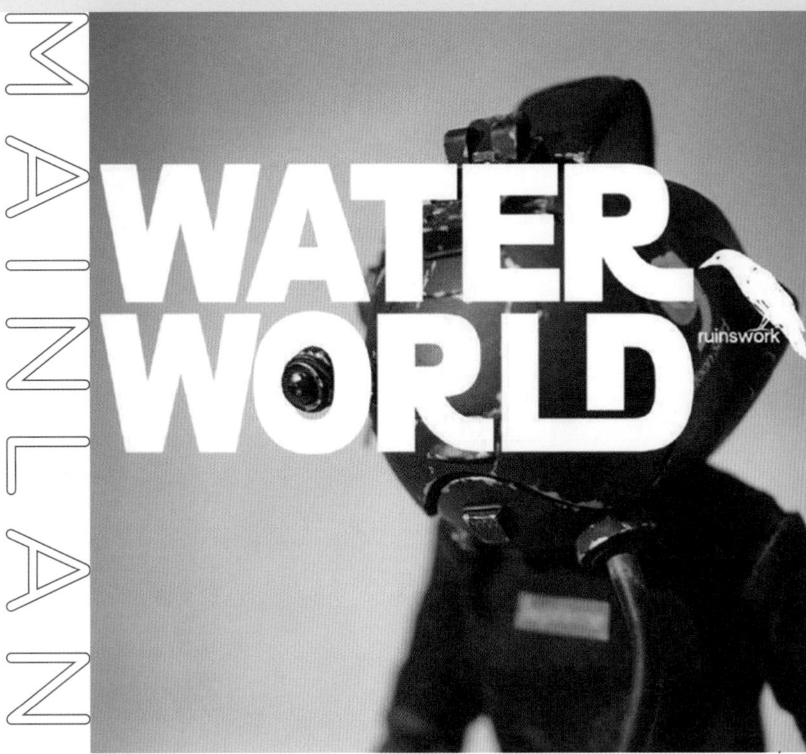

談談自己的創作歷程。為甚麼在二〇一一年開始製作玩具？

我是一名全職的玩具設計師，目前以創作十二吋 Action Figure 為主。二〇一一年大學畢業後，決定全身投入到這個領域創立 ruinswork 品牌。

你的玩具作品主要是 Action Figure，為甚麼？可以談談三個系列「水世界」、「夢旅人」和「朋友們」的創作概念嗎？你似乎比較喜歡製作跟戰爭有關的東西，而且有種舊化的感覺，譬如全人手製作的作品飾物與配件如摩托車、槍械、手套，是嗎？

其實其他類型我也有做，但大多是商業合作，所以沒有發佈。我是到很晚才開始接觸十二吋 Action Figure，一開始都是寫實類型的影視或者軍事題材，直到二〇一〇年有幸看到 threeA Toys 的「北京聚會」展覽，當下便明白這是我想要做的，不過離 threeA 還差很遠，需要繼續努力。

大概九歲的時候，我在電影院看到了人生第一部科幻片《水世界》

（*Waterworld*），這對當時的我產生的震撼是巨大且揮之不去的。當我決定做 Figure 的時候，便以這部電影的世界觀為基礎，希望能夠創作出一個更符合現在的視覺審美，更有趣的故事，以人物為媒介來傳達我的感受和觀點。但我似乎給自己定下了一個很大的難題，導致一直修改設計，還未做出新的人物。總之就是想要做的，其實比大家看到的還要多更多。

「夢旅人」指的並不是這個系列的人物，因為這是個合作的系列，其實有很多優秀的設計師喜歡，並且也希望能夠設計製作玩具，而我也希望能夠跟這些設計師合作碰撞出一些不一樣但更有趣的作品，所以夢旅人指的是這些合作的設計師，我也希望這個系列會更脫序，更光怪迷離。

至於「朋友們」，就跟名字一樣，在我開始製作 Figure 所認識的這些朋友，很想把他們做出來。

關於舊化，我認為只是一個視覺效果的表現，當這些 Figure 不管是服裝還是配件舊化過以後，你會認為這些使用痕跡會更加真實，甚至會讓你相信這個人物是真實存在的。

你似乎挺喜歡 David Bowie 的，他曾經以經典 Ziggy Stardust 形象示人，你的作品也叫 Usashi - For Ziggy，還留有經典的臉上那道閃光，可以談談他對你的影響嗎？

對我來說，David Bowie 本人比起他的音樂影響我更多，搖滾巨星中他算是造型最多變，並且影響了很多設計師的一位，他更像一位藝術家。從 *Space Oddity* 開始，他已在音樂中創造扮演虛擬角色，那些誇張的造型是極其超越時代及想像力的。所以，Usashi - For Ziggy 算是我對他紀念的方式吧！畢竟，這世界上又少了一位我喜歡，並且有趣的人。

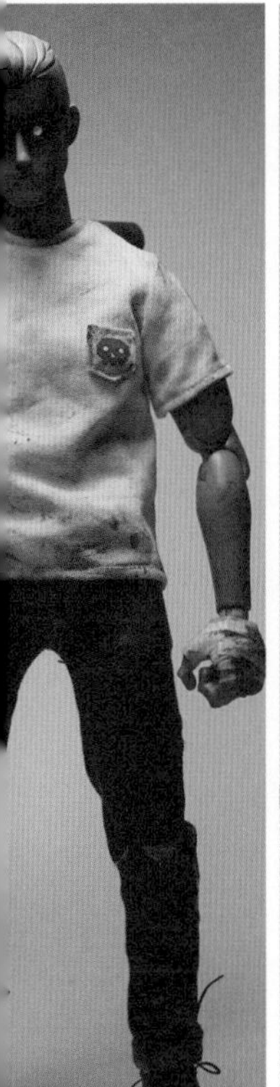

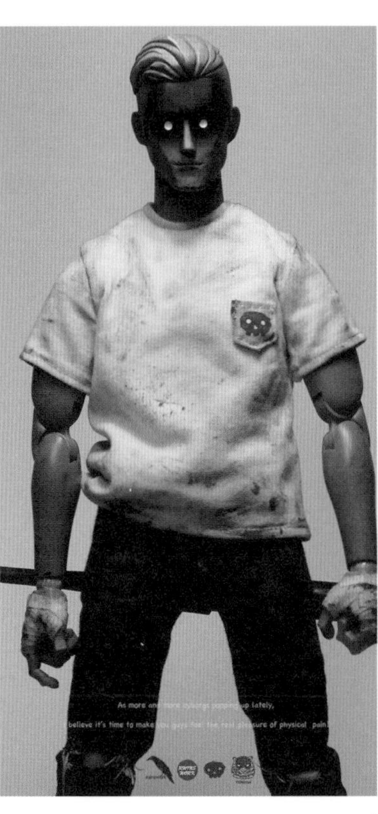

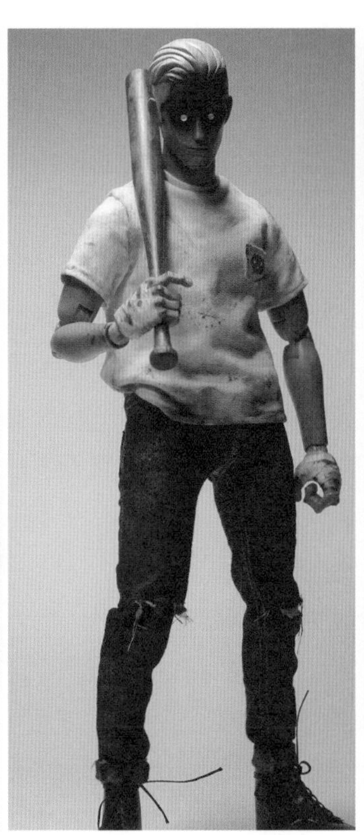

上（左）：Water World 系列是受電影《水世界》影響，並以其世界觀作為基礎。

上（中及右）：夢旅人是 Ruins Kung 與不同設計師合作而得出的火花。

下：Ruins Kung 受電影啟發，刺激其創作。

Ruins Kung 受 David Bowie 的百變形象所影響，故創作了 Usashi - For Ziggy 向他致敬。

你與台灣設計師 BanaNa ViruS 香蕉病毒合作推出了 Taylor G，可以談談合作的機緣嗎？

BanaNa ViruS 是我認識的第一位台灣設計師，現在變成很好的朋友，我覺得合作的機緣就是互相欣賞，打個招呼，聊一聊就開始了。通過 BanaNa ViruS 也讓我認識了更多台灣的設計師，比如另一位也有合作的設計師 13，他們還改變了很多我對台灣的看法，也希望今後能夠通過玩具認識更多世界各地的朋友。

你平常會收藏玩具嗎？可以分享一下收藏的玩具或愛好嗎？

我收藏的玩具比較雜，不管是主流的類似《星球大戰》，還是現在流行的軟膠怪獸，或者幾乎找不到出處的市場淘物；但我比較偏重設計師玩具，這類作品最吸引我的地方，是它們被創作出來之前，都是未存在的。

靈感多數來自甚麼？自己比較多受甚麼文化 / 哪個設計師影響？

幾乎大部份靈感都來自於電影和網絡。電影是我覺得當今世界上最具影

響力的傳播性媒介，優秀的電影不止是內容，還包含了幾乎各種類型的藝術形式，能帶來很多視覺上及精神上的體驗。每一個年代的優秀電影，都會表現出那個時代的精神嚮導，從每一個層面來刺激我的創作。而我也不希望自己只是拘泥在某一方面或某一層面，感謝互聯網讓我看得更遠看得更多。

每種文化，每個優秀的設計師都會對我產生影響，但從表達形式上來說，Michael Lau 和 Ashley Wood 的作品讓我打開了一扇門。

你認識香港的設計師嗎？你對香港設計師有甚麼看法？

Michael Lau、Eric So、Winson Ma、Kenny Wong、George Chu 等等還挺多的，畢竟香港是潮流玩具的發源地。Michael Lau 絕對是對我影響最大的了，他除了極具魅力、有個人風格，以及其想像力豐富外，在十二吋 Figure 這個類別裡，他算是經常打破常規，不局限於十二吋比例，並用十二吋 Action Figure 翻製成不可動雕像，將人偶身體部份互換出新的人物，這些做法都表現出他擁有優秀藝術家的思路。

重要的是作品傳遞的意義

你曾經到台灣的 Wrong Gallery 舉辦畫展及玩具展。你覺得自己的作品是藝術品，還是玩具？你怎樣理解藝術玩具這件事？它與一般玩具有何分別？藝術玩具與藝術塑像又有分別嗎？如果有，藝術玩具要成為藝術品還欠甚麼？

「到底是藝術品還是玩具」也是我經常會想的一個問題。不管從作者身份、收藏者，或功能性、價格等各個方面，其實都很難作準確的定義。就像是當今知名藝術家設計的玩具你也不會只認為是玩具，早期的玩具現在也會被當做藝術品拍賣。所以我覺得不管是玩具還是藝術品都只是作品，重要的是作品想要傳達的意義，以及作品所帶來的影響。借用 Joseph Beuys 的一句話：人人都是藝術家。

現時潮流比較偏向搪膠／日本軟膠玩具，而你比較著重於 Action Figure，而且偏向精緻的人手製作，有想過要改變物料及生產模式嗎？

Ruins Kung 認為人人都可以是藝術家。

Action Figure 是我覺得最具挑戰性的類型，有點像一個綜合類的表現形式，在製作上你會面對很多不同行業的挑戰，至於手作完全只是出於自我要求而已。就像之前說到，別的類型我也有做過，不管是搪膠或是軟膠，我也想要嘗試更多的類型及風格。

朋友們系列是他從朋友身上獲得的靈感。

你怎樣看藝術玩具在中國內地的發展？內地消費者對這類玩具的反應如何？

從商業角度來說，不管是藝術品還是玩具，我覺得都是消費品，所以伴隨中國的經濟增長會形成一個很大的市場，也會催生愈來愈多的設計師和藝術家的創作。對於消費者來說，都希望能有更多更有趣的作品。畢竟作為消費主力軍的八十後來說，玩具是不可或缺的精神食糧之一。

藝術玩具在中國內地要健康地發展，還需要甚麼因素？

時間，優秀的作品會改變大家對中國只是生產地的印象，愈來愈多年輕人會改變大家對玩具只是小孩子玩的觀念，動漫及電影的發展也會把周邊玩具的品質提高更多，政府對知識產權的重視也會讓市場上的盜版愈來愈少，而這些改變都還需要時間。

將來有想要達成的目標嗎？

有更多更有趣更滿意的作品！

殭屍中的傳統文化

Facebook · thedanielyu

Instagram · thedanielyu / Website · thedanielyu.com

新加坡創作人，作品的主要物料為樹脂及油泥。作品深受傳統文化及大眾文化所影響，創作核心圍繞著記憶的內在價值，以及以說故事的方式去述說社會及文化相似性。

DANIEL YU

SINGAPORE 新加坡

從報導中得知你從小就喜愛動漫、電影，大學時期開始自學玩具製作。令人好奇的是，你是管理大學商學系畢業，為何會在大學期間接觸到玩具製作？後來又為何願意放棄尋找穩定的工作，全職投入玩具創作？

我並非從大學開始學習雕刻和設計，早在我大概十三、十四歲時就已經開始了，然後我開始收藏及改裝 Action Figure，創作玩具公司未曾生產過的角色，這成了我的愛好。

大學期間，我第一次開始認真考慮以雕刻和製作作為我的職業。雖然我持有商業學位，但我極投入藝術系。當我接觸更多藝術範疇時，我就意

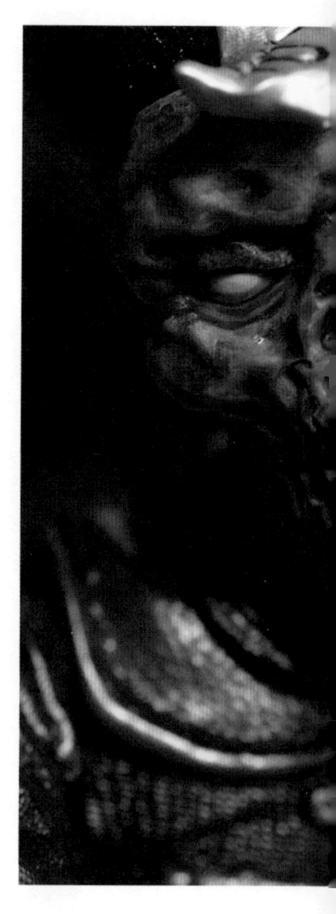

識到以藝術作為事業，並不如我曾經想像的那麼遙遠。

你沒有修讀過美術課程，但通過網上論壇自學玩具製作，當中遇過甚麼困難？

當然有相當多的挑戰，例如尋找材料（如黏土、樹脂等）的來源，以及如何在行業開始等，很多這樣的挑戰需要經過反覆試驗去克服困難，我很幸運遇到導師和社群，在我創作的路上一直支持我。而書籍及互聯網所提供的豐富訊息，也對我有很大的幫助。

在你早期的作品中，還會用上 Playmobil 及自己的玩具，作為原材料改裝（一種名為 Kitbashing 的製作方式），為甚麼？你有收藏 Playmobil 嗎？可以談談你的收藏品嗎？

小時候，我有幾個 Playmobil 的公仔，但我還未明白它的吸引力，直到很久以後，看到一系列以 Playmobil 定製成的 Hellboy，我被 Playmobil 的形式吸引了，它簡單的輪廓可以塑造成各種各樣的角色。

而且，我一直是雕刻細節的粉絲。當時第一個忍者龜 Figure 系列非常精緻，但經常被差劣的工廠噴油技巧破壞。然後，McFarlane Toys 的到來，改變了行業的遊戲規則，他們把玩具提升至前所未有的精緻。這些日子我都沒有重點收藏甚麼，但我主要收集六吋 Figure，如果它雕刻得很好，我想我會放在架子上的某個地方。

你的作品主要用黏土樹脂為原材料，而少用現在流行的搪膠或日本軟膠，為甚麼？這是否因為你更希望專注於手工製作而非大量生產？或是因為你的玩具製作過程，與一般設計師先畫草圖，再出樣板的製作方式不同，你是先在心裡打個大約的草圖，然後就在動手做的過程中慢慢形塑出自己想

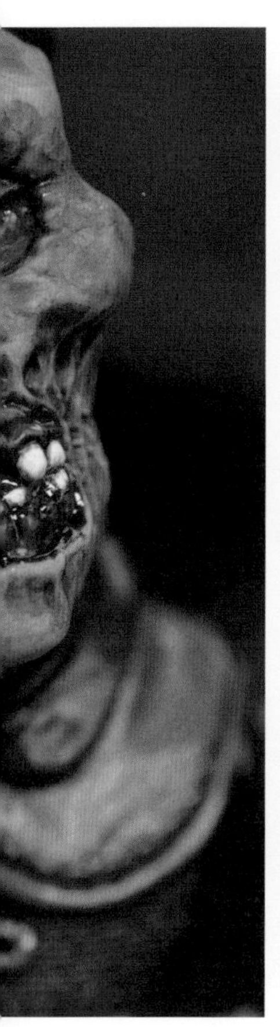

Daniel 創作的殭屍雖予人恐怖感，但細節部份豐富得令人讚賞。

要的形象。這是否令你較少以搪膠為原材料製作玩具的原因？以後有打算推出搪膠玩具嗎？

這是真的。我通常不會為我的想法畫草圖，而是會直接以黏土呈現。但我不認為這跟我使用的材料有很大關係。就個人而言，我認為樹脂和搪膠只是不同的媒介，各有利弊。當我開始時，樹脂對我來說一直都是最容易接觸的媒介。我一直在探索搪膠生產，去年我在 Unbox 的幫助下，發佈了我的搪膠版 Jiangshi Acolyte。

你的作品很注重紋理，面部細節很多，同時帶有詭異、恐怖的味道。為甚麼會偏好這樣的風格？你會定義自己的作品為邪膠嗎？或者是否朝著邪膠的方向發展？

Lil' Jefe 是一個以「逝世名人」為題在畫廊中展出的創作，他選了哲古華拉。

我認為我的作品風格反映了我感興趣的東西。大眾文化、民俗和文化傳統對我很重要，可以的話，我會將它們融入我的作品中。如前所述，我認為陪伴我長大的玩具，都影響了今天我所感興趣的雕塑類型。

至於邪膠，肯定會有我欣賞的某些創作，特別是在雕刻的細節。如果這種特殊的風格適合我正在創作的角色（例如 Lunar Beast），以及它適合我的世界觀，那麼我都會嘗試。

早期你的作品多探討人類的慾望與自由意志，後來似乎有些轉向，譬如作品形象多是殭屍及動物如豬、八爪魚、猩猩、猴子、牛、狼、鳥、老鼠、貓、山羊等「新怪獸」（Neo-kaiju），為甚麼？可以談談作品的意念嗎？譬如較近期的 Transposition、Soviet Infiltrator 以及後來的 Bird Shaman、Oi! Cthulhu、Jiangshi Acolyte 及 Lunar Beast。另外，可以

談談以古巴領 哲古華拉為概念的 Lil'Jefe 嗎？

這是我創作之旅的發展和進步的其中一部份，有些是在我當雕刻是興趣的時候創作的。Lil' Jefe 是一個以「逝世名人」為題，在藝術畫廊展出的創作；其餘的作品（Bird Shaman、Oi! Cthulhu、Jiangshi Acolyte 及 Lunar Beast）都帶有流行文化、民俗、童話和文化傳統的色彩。

你比較受哪種文化影響？

作為一個新加坡人，我認為最獨特的文化是中西合璧。在我成長的過程中，流行文化是我生命的重要組成部份，譬如西方童話故事、卡通、漫畫、電視及玩具等，都是常見的東西。同時，文化遺產對我也很重要。在適當的時候，我喜歡在工作中混合兩者。

你曾跟 Devilrobots 及 Mighty Jaxx 合作，可以分享合作的機緣嗎？另外，你也會跟不同的人合作上色，可以分享一次讓你最難忘的經歷嗎？

我跟 Devilrobots 及 Mighty Jaxx 的合作真的是偶然的。回到二〇一一至二〇一二年，我在新加坡藝術團體 Phunk 的工作室裡做學徒，他們跟 Devilrobots 是好朋友，我有幸跟他們一起談論藝術。大約在同一時間，我跟 Mighty Jaxx 分享了一個藝術空間，他認為我與 Devilrobots 合作是一個有趣的想法。所以我們三人聚在一起，做一點腦力激盪，然後創作了 Tau Pok King。

迄今為止，更令我難忘的合作之一，是跟台灣藝術家 fufufanny 合作的 Acorn Explorer，結合了我的 Lunar Creep 身體與她的 Acorn。我從來沒有打算讓 Lunar Creep 成為聯乘的人物，但是我們在二〇一五年的一個展覽中，把玩著我們的作品時，突然意識到我們的角色的身體和頭部能

Daniel 生長於中西文化合璧的新加坡，對民俗及文化傳統抱有極大興趣。

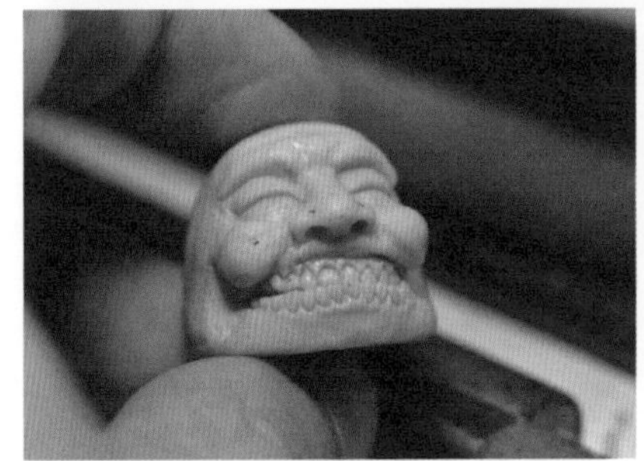

Daniel 通常不會為作品畫草圖，而直接以黏土呈現。

夠非常好地融合在一起！所以這是一件開心的偶發事件，最終還導致了跟中國藝術家 cacooca 合作的 Octo Explorer 誕生。

你認識香港的設計師嗎？你覺得他們怎樣？

我對他們很熟悉，尤其是因為許多香港設計師被認為是設計師玩具教父。但我比較熟悉的是 Black Seed Toys 的 Kenneth Tang。幾年前，我們因為參展台北國際玩具創作大展而互相認識，我認為他是一個真正多才多藝的藝術家，他的作品反映了各種各樣的風格。我很幸運，二〇一七年初有機會跟他合作，他在我的 Jiangshi Acolyte 搪膠玩具上，用了他獨特的「安非他命式上色」。

有限的生產數量

你會認為自己的作品是藝術品還是玩具？你怎樣理解藝術玩具這件事？它與一般玩具有何分別？藝術玩具與藝術品又有分別嗎？

現在我的大部份作品都被認為是雕塑。藝術玩具的定義是主觀的。Neca 大量生產的 Action Figure 是一件藝術品，因為它們雕刻精美，並且也可作為一件可移動關節的玩具。

我認為藝術玩具和普通玩具之間的主要區別是生產數量。藝術玩具通常以更有限的數量生產。

關於藝術玩具和藝術，我認為藝術玩具是藝術的一種，雖然它們有時也會被忽視，仍會被認為是孩子的玩具。但我認為這些年來，這個污名已經發生了很大的變化，藝術玩具愈來愈被認可為一種藝術形式。

你怎樣看藝術玩具在新加坡的發展？政府支持嗎？新加坡大眾對此認識和接受嗎？藝術

Daniel 認為藝術玩具已愈來愈被認可為一種藝術形式。

玩具要在新加坡健康地發展，還需要甚麼？

多年來，新加坡的藝術玩具已經發展得相當不錯。政府不是特別支持藝術玩具，但我會說他們支持藝術的培養和增長。由於有更多的曝光機會，更多的新加坡人留意到藝術玩具，但它相比全世界仍然是一個非常細小的市場。話雖如此，我們生活在一個全球市場，容易跟來自世界各地的創作者和收藏家互動。我們不再像以前那樣受到邊界的束縛。

你的作品曾在不同的地方如泰國、新加坡、香港、台灣、日本、韓國等地展覽，大眾對於這些原創玩具的反應如何？你有針對不同的地方去生產不同的顏色或風格嗎？

不同國家的人當然會有不同的口味，我會嘗試以不同的顏色去迎合不同的市場。但我通常避免改變我的作品風格，單單只是為了吸引觀眾。我認為作為一個創作者，你的作品必須來自作為藝術家的你，就是要先滿足自己。

結語

那麼，到底甚麼是藝術玩具？

在訪問眾多玩具人以後，這個問題仍然沒有答案，或者更確切地說，沒有一個實實在在的定義，一如藝術。有人說，「這」就是藝術玩具，因為從中我們可以看到創作人的意念、創意、所花的心血，「這」個很美、很精緻、具觀賞及收藏價值，「這」由創作人親手上色，屬於限量版，而非大量生產；或者說，「這」不是藝術玩具，因為它由工廠生產，數量可達數百件，「這」只是一件普通拿上手舞來舞去的玩具。眾說紛紜，既然於官方或民間的角度都沒有定義，那麼，是否不再需要有「藝術玩具」這一名詞？

絕對不是。

要是我們重新稍稍梳理藝術玩具的源頭，便可以窺探藝術玩具所承繼著的精神：一群熱愛玩具的成年人，因市面上主打小朋友的玩具製作了無新意，而自主自發地創造出更加符合他們的美學觀的玩具，因而得名設計師玩具，以及後來出現的藝術玩具。

除非是修讀藝術設計，或處身於藝術設計圈子的人，否則，社會上大部份人總會認為藝術遙不可及，神秘莫測的藝術圈子往往予人排擠感，讓「門外漢」覺得自己並不懂得藝術，以及藝術品的價值（此舉也是方便了投機者隨意操弄藝術品的價格，決定了藝術品的生死）。

親愛的，請相信自己的一套美學價值觀，相信自己有評價事物美醜的能力，相信自己的審美觀，而不是服膺於主流的藝術觀或價值觀，隨波逐流，人云亦云。一如這群玩具創作人，正是因為當初堅信自己那套不受主流認可、卻具有自己風格的藝術觀，才能創造出一件又一件出色的作品，表達自己的想法及美學。經歷過時間的洗禮，反過來竟又改變了主流的藝術觀。所謂主流與邊緣，也不是鐵石一塊，而是早已不斷互相拉扯、重疊、融入，今天的主流會變成明天的邊緣，反過來亦然。

這種相信自己的價值觀，不斷進化創造的精神，正正就是藝術玩具所能帶給我們的啟示。

請敢於做自己。

陸明敏

名詞解說

特攝片

特攝（特撮"とくさつ"）為「特殊攝影技術（SFX）」的簡稱，始見於五十年代的日本《哥斯拉》，當時CG特技仍未普及，怪獸由穿著怪獸衣服的演員飾演，腳下的景物就用微縮模型造成。著名的例子有《鹹蛋超人》及《幪面超人》。

頭卡

通常見於Sofubi玩具的那種包裝形式，捨棄華麗而繁重的盒子，改用簡單的卡紙加一個膠袋的包裝為玩家省去存放的麻煩。

聯乘（Crossover）

通常指一個創作人與另一個創作人或品牌合作，好的效果往往可以是一加一大於二，可以讓對方的Fans或顧客留意到自己的作品，是拓展既有客群的好方法。

抽選

藝術玩具或設計師玩具多數為限量版，具炒賣價值，故會衍生出排隊黨。有時創作人或玩具店為了避免貨源全落到炒家手中，會以抽選的方式售賣。抽選是比較常見於日本Sofubi玩具的售賣方式。

授權產品（Licensed Product）

通常指基於原有動漫、電影等角色的產品，需要向該公司購買版權才能生產，例子有*Ironman*。

素體

素體通常指生產後未經上色的原件，多用於Action Figure，但現在也會用於搪膠玩具，因為設計師會讓工廠生產未經塗裝的原件後自己噴油。

超合金

七十年代大量從日本進口至香港、由POPY公司（後來被Bandai收購）出產的機械人玩具，在玩具某些位置會加入金屬，提升了玩具的重量及質感而變得矜貴。

逐格動畫（Stop Motion）

把動作的每一個步驟拍攝下來，然後製成影片，變成一格一格地播放的影片。很多玩具愛好者都會以此方式來為自己的玩具製作此類動畫。

食玩

食玩是指附在零食中的玩具。海洋堂在六十年代後期成為日本最重要的食玩製造商。

手辦／首辦

英文為Garage Kit（簡稱GK），一般指Figure未經上色的套件，後來也指原型師自己手做的少量Figure。

景品

指以抽獎方式獲得的玩具，例如夾娃娃或扭蛋。

參考書目

《歡迎光臨！大小孩的玩具舖：亞洲知名 80+ 玩具地點特蒐 X 潮人店主的驚奇收藏 X 經典玩具知識大爆發》

作者：Robin L.、Emma C.
出版：悅知文化
簡介：作者走遍日本、新加坡、香港、台灣逾八十間玩具店，除了基本資料及店內玩具資訊，他們更邀請了店長接受訪問，是一本非常齊全兼有深度關於玩具店的書！

《玩具大不同——原創玩具與創意工業的社會學觀察》

作者：呂大樂、姚偉雄
出版：MCCM Creations
簡介：作者從社會學的角度出發，剖析了這種新興藝術及設計師玩具的現象及文化，內有跟多位香港設計師的訪問，值得大家細讀。

《玩偶私囊》

作者：李國慶
出版：重慶出版社
簡介：此為內地第一本關於藝術玩具的書籍，內有對於內地藝術玩具發展的詳盡分析，也有外國設計師訪談錄，例如 Frank Kozik、Gary Baseman、Joe Ledbetter、Tokidoki 等，值得參考。

Vinyl Will Kill

編者：Jeremy
出版：IdN Magazine
簡介：超過四十位玩具創作人及廠牌的訪談結集，包括 Kidrobot、Tim Biskup、Jeremyville、鐵人兄弟、Jason Siu 及豆腐人等。

《香港玩具傳奇》

編製：香港歷史博物館
簡介：香港歷史博物館於二〇一七年舉辦「香港玩具傳奇」展覽，講述二十世紀的香港玩具蛻變及發展歷史，並配以大量歷史圖像說明，有助加深大眾的了解。

《香港玩具誌》

口述：彭順
撰文：張施源
出版：中和出版
簡介：彭順是香港的老玩具迷，專門收集香港玩具製造業鼎盛時期生產的玩具，從他的藏品中，可以看到香港的玩具工業發展及歷史軌跡。

謝謝！

策劃者簡介

Howard Lee

How2work 創辦人。How2work 於二〇〇一年成立，憑著 Howard 對藝術玩具獨有的觸覺及熱愛，善於把平面作品立體化，以及加入潮流元素，把不同 artist 的作品帶到藝術玩具及精品市場上。近年，開始參與大型展覽設計及製作玻璃纖維雕塑。

Kenny Wong

曾任香港插畫師協會副會長，鐵人兄弟成員。二〇〇六年獨自創立 Kennyswork，二〇一一年獲香港十大傑出設計師獎。其後，建立品牌 Molly the painter，希望能成為一個充滿香港奮鬥精神的品牌。

Kila Cheung

生於香港，香港理工大學畢業，全職藝術家，從事繪畫、雕塑創作。Kila 認為人不要太成熟，要保持好奇心，有勇氣反叛，有時間發夢。二〇一六年獲得香港設計青年才俊獎，二〇一七年往日本研修，並開始了木雕創作。

作者簡介

陸明敏

畢業於香港中文大學文化研究系，副修德文。曾分別任職財經及藝術雜誌編輯，喜愛閱讀、寫作、看展覽及戲劇。平日愛好鑽研不同的觀點與文化，讓腦袋運轉起來。正在思考理想與生活結合的可能，相信藝術能帶來革命，希望透過文字讓優秀的文化傳承下去。

責任編輯　李宇汶
書籍設計　姚國豪

書　名　ART TOY STORY（下）
策　劃　Howard Lee、Kenny Wong、Kila Cheung
作　者　陸明敏
攝　影　Luk Mingman、Kila Cheung、Terence Choi、
Amber Au、Vincent Yiu
相　片　由各受訪單位提供

出　版　三聯書店（香港）有限公司
香港北角英皇道四九九號北角工業大廈二十樓
Joint Publishing (H.K.) Co., Ltd.
20/F., North Point Industrial Building,
499 King's Road, North Point, Hong Kong
香港發行　香港聯合書刊物流有限公司
香港新界大埔汀麗路三十六號三字樓
印　刷　美雅印刷製本有限公司
香港九龍觀塘榮業街六號四樓A室
版　次　二〇一八年七月香港第一版第一次印刷
規　格　大十六開（200mm × 266mm）三六〇面
國際書號　ISBN 978-962-04-4188-2

三聯書店
http://jointpublishing.com

JPBooks.Plus
http://jpbooks.plus

製作 | How2work

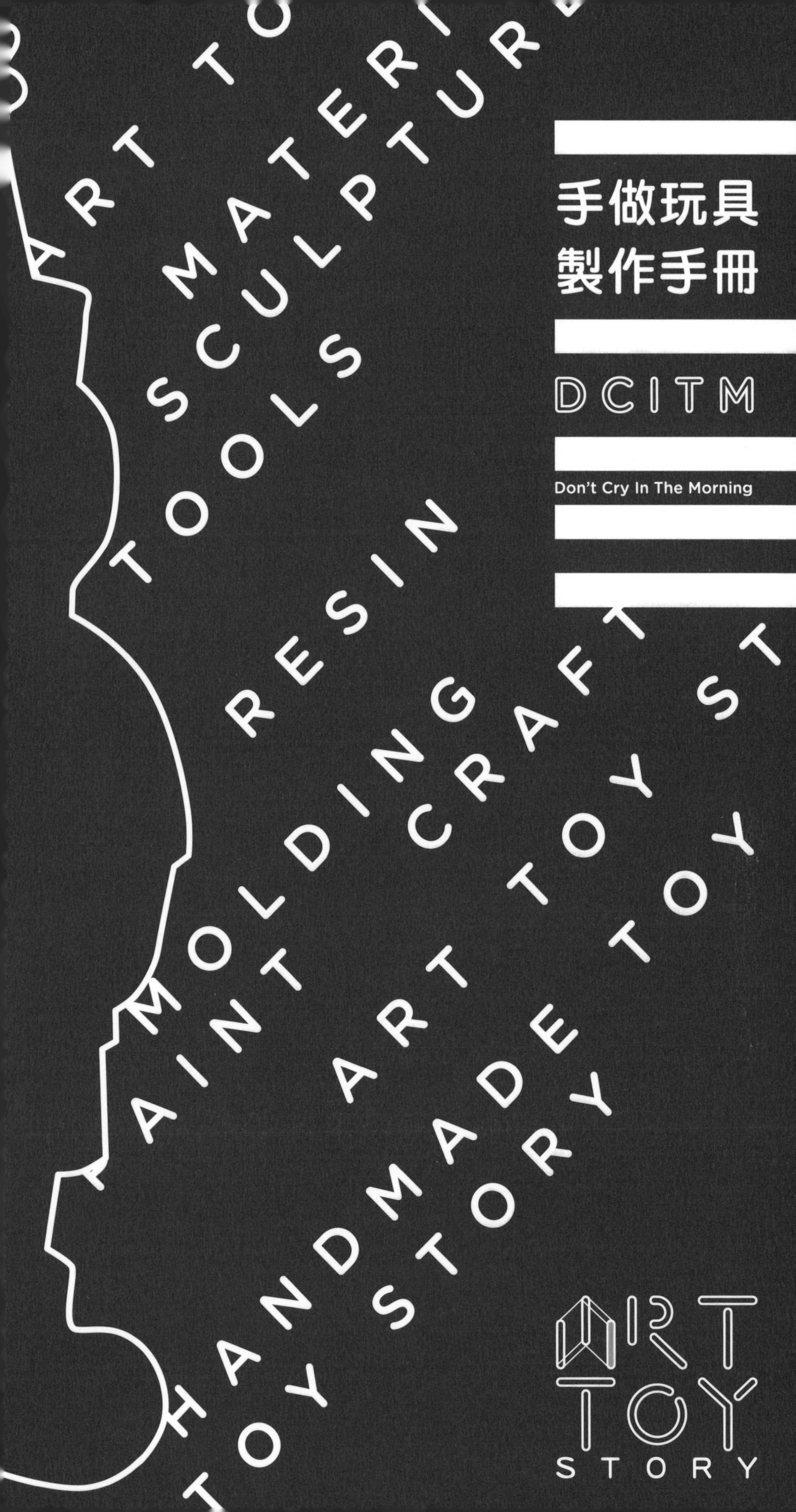
手做玩具
製作手冊
DCITM
Don't Cry In The Morning
ART TOY STORY

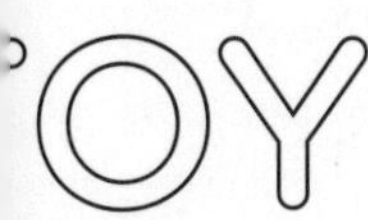

窺探 DCITM 手做玩具的製作過程

訪問 Don't Cry In The Morning（DCITM）的時候，聽到他們説起手做玩具如何獨一無二，如何十月懷胎花費心機與力氣，自己如何全心全意投入這件事，筆者衝口而出就説想要記錄看看：到底一件玩具與一件藝術品，是不是真的有分別？玩具的藝術性在哪？躲在玩具身後的玩具創作人，到底在做甚麼？為了能夠做出一件達到自己要求的玩具，他們到底要花多少時間與心力？

DCITM 為了讓我們記錄製作過程，特意選做一件尺寸較小、線條較簡單的 Skull Boy，造型和設定也是來自他們的 Logo。這次他們嘗試為 Skull Boy 做了一個小男孩的身體，以為身邊的朋友帶來驚喜。

整個過程為時約一個星期，每天約四小時，在我們離開以後，他們晚上仍在默默雕泥。好幾次，我在一旁靜靜看著他們打磨，然後問了一些問題，對方被我嚇倒了，我才知道原來他們一直也沒有留意到我。説實話，筆者坐著看他們全神貫注的雕泥、打磨，心裡不禁納悶，有時花了這麼多功夫，賣個一二百元，人工錢都賺不回來，更不要説材料、工具樣樣都是錢。為甚麼仍然要做呢？聽到他們説要當作終身職業，更覺得很不可思議。

他們讓我和攝影師挑選了喜歡的顏色，多做了一件樹脂膠玩具送給我們，攝影師拿了自己的 Playmobil 公仔跟他們交換。而他們送我的那件玩具，直到現在我也一直擺放得好好的，生怕刮花了，畢竟目睹了整個製作過程，我自覺對玩具、玩具創作人比以前多了一份尊重與欣賞。

是次製作過程共分四個部份：

1. 預備材料及工具
2. 設計及製作油泥公仔原型
3. 製作矽膠模具
4. 製作樹脂膠玩具

材料

1/ **低溫陶泥（又稱油泥）**：如 Super Sculpey，油性泥，加熱會變硬，分三種硬度，軟身做細緻的地方，這次選用中性的。

2/ **模型油**：如 GAIA 油、AV 油，上色用。

3/ **底灰**：用作填補油泥公仔凹凸不平的細微位置

4/ **開油水**：用來稀釋

5/ **Lego 模型**：用來做模具底座

6/ **矽膠**：做矽膠模具

7/ **骨架**：木棒、鐵線、錫紙

8/ **凡士林**：撫平陶泥「毛躁」

9/ **牙籤及小銅珠**：製作「走氣位」及併合矽膠模具

10/ **脫模劑及脫模膏**：用作脫模

11/ **凝固劑**：讓樹脂膠公仔成型

1

2

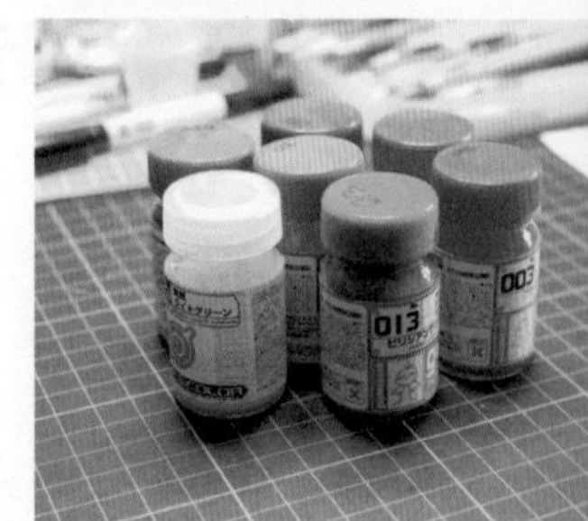

3

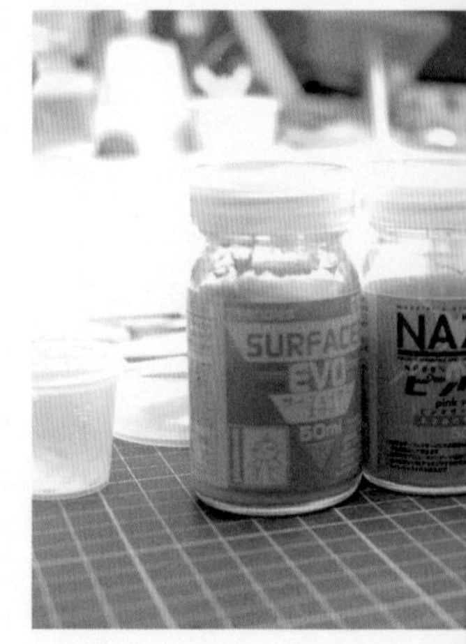

SuperSculpey
MEDIUM BLEND

MODEL COLOR

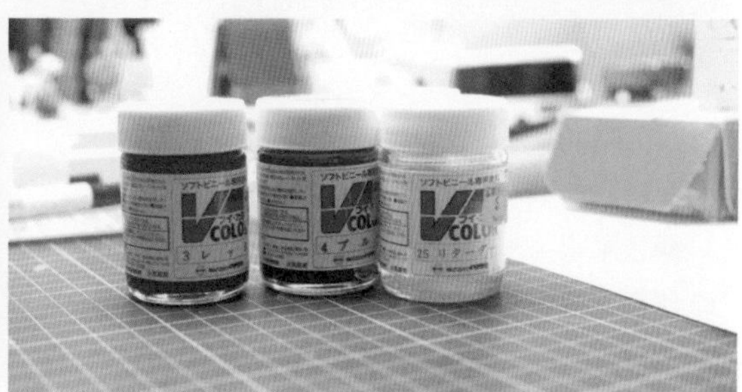
V COLOR
V COLOR
V COLOR

Mr.Primer Surfacer 1000
Mr.SURFACER 1000

10

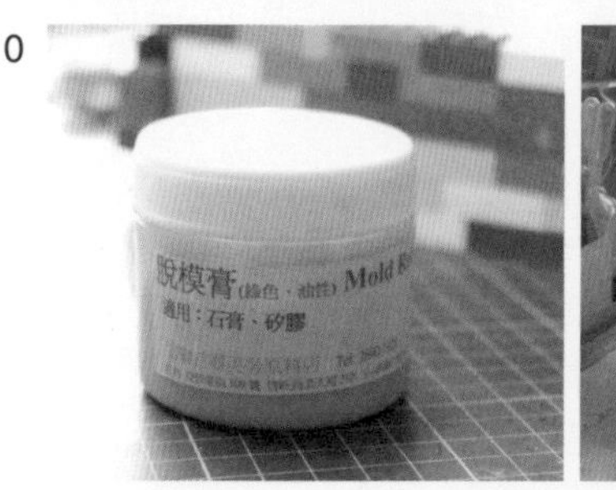
脫模膏
適用：石膏、矽膠
KF96SP

11

工具

1

3

4

1/ **噴槍**：0.5mm 粗噴咀（金屬色的油）、0.3mm 幼噴咀（手油），用作噴底灰用。

2/ **不同形狀、大小的鉗**：可以買，也可以自製，譬如這支蟹鉗，是他們吃飯時突然想到，用真的蟹腳來做。

3/ **抽真空機**：將氣泡抽出，因為做矽膠模具時入面本身有空氣，空氣減少，做的時候模具就沒那麼容易起泡及變形，或者會令到樹脂膠公仔有些陷入的位置。

4/ **壓力罐**：將模具的氣泡以壓力迫出來，做出來的樹脂膠公仔的效果會更晶瑩通透。

5/ **超聲波清洗機**：洗走樹脂膠公仔表面微粒，上色時更貼服。

6/ **天拿水**：用作抹走錯誤的上色，法例上未領有牌照儲存量要在二十公升以下。

7/ **風筒**

8/ **工業用 Bump 機**：用來抽走抽真空機及壓力罐內的空氣。

9/ **海綿砂紙**：打磨表面

10/ **打磨機**：打磨細緻的部份

11/ **膠杯**：放置及混合液體

12/ **保護用品**：膠手套、口罩；若果長期製作，請用噴油用的活性碳濾芯口罩。

2

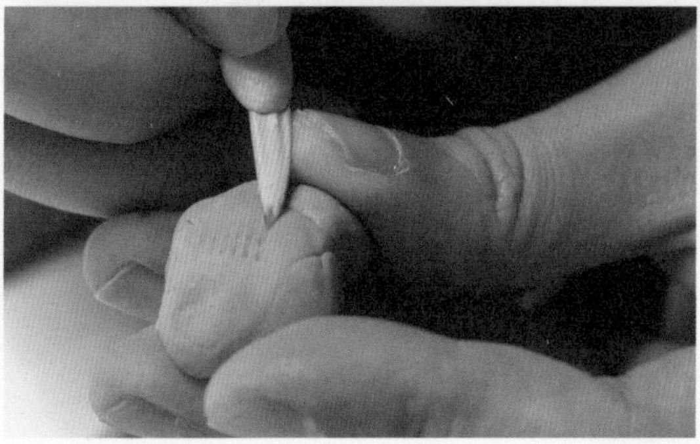

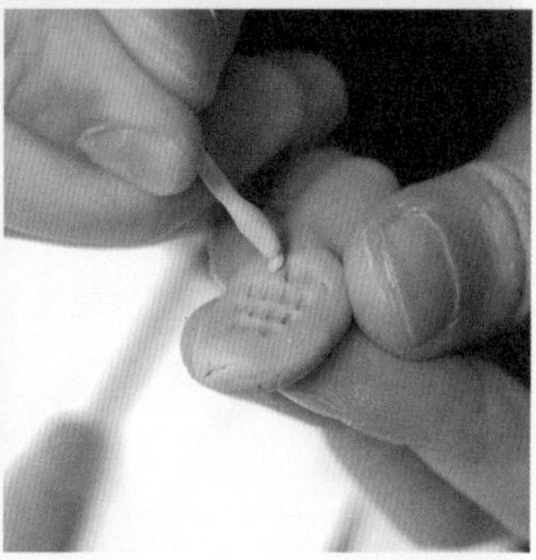

5

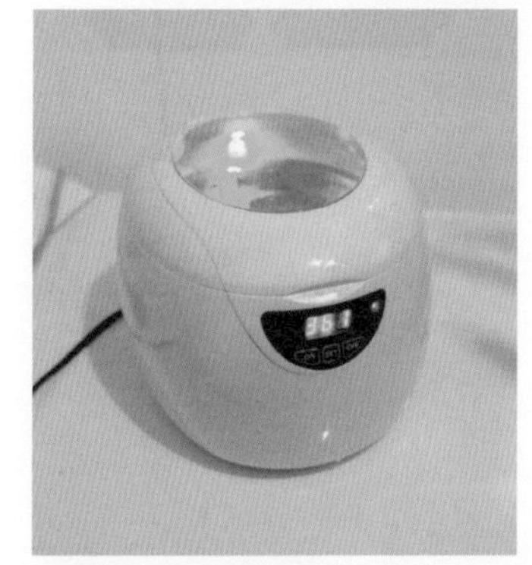

8

12

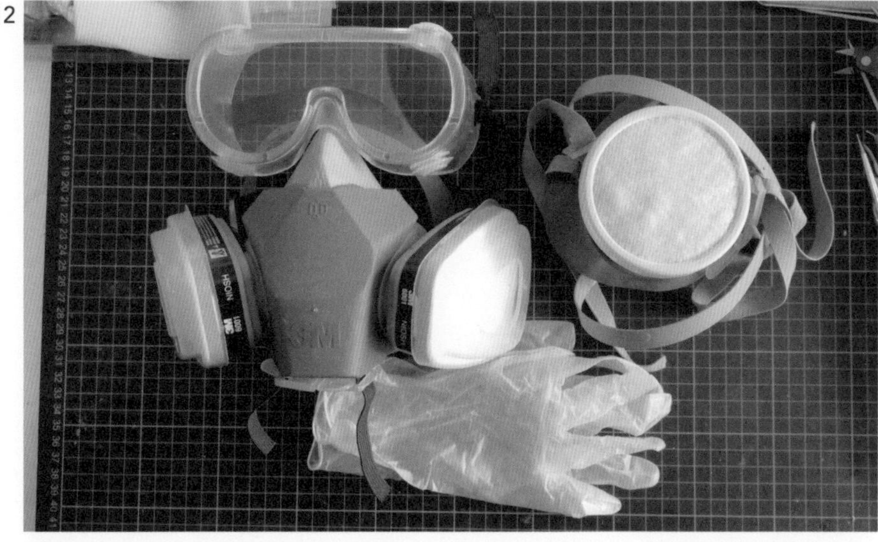

② 設計原型

1

1/ **起草**：簡單繪畫作品大概外形，雕泥時可隨心更改。

今次做一個 DCITM Logo 的公仔，意念是 DCITM 現在做的東西都是為他們的存在留下一些痕跡。即使肉身離開了，如無意外骨頭會留下，成為生存的痕跡；就如他們做過的玩具，他們的想法就能留在世上。

原型製作

2

3

2/ **做骨架：**以鐵線繞著木棒，鋪上錫紙，再加一層鐵線。

(注意)

・骨架就如樓宇中的鋼筋，油泥可以緊緊依附其中，有骨架在內保護，萬一原型裂了，也不會支離破碎。

・用上木棒亦方便人手握棒雕泥及抽出倒模，用手直接拿著會容易令到油泥變形。

・錫紙可以節省要用的油泥，填充中間的空位，吹熱的時候，入面會保留了熱力，令到油泥加速凝結變硬，成形得更完美；另外，如果整件原型都用上油泥，變相成本會貴很多，而且很重。

・最後一層幼鐵線，用作防止錫紙鬆脫 。

3/ **攪軟油泥：**方便搓泥，可選用意粉機，亦可人手搓，但要花很大力氣。

4/ **雕泥：**可以在過程中不斷改動、調節，油泥的密度高，塗凡士林可以撫平「毛躁」或潤滑痕跡。

4

雕泥過程

根據草圖塑造大概形狀及比例。

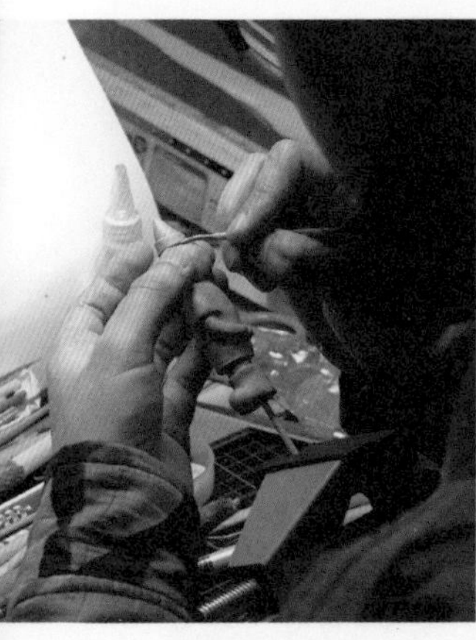

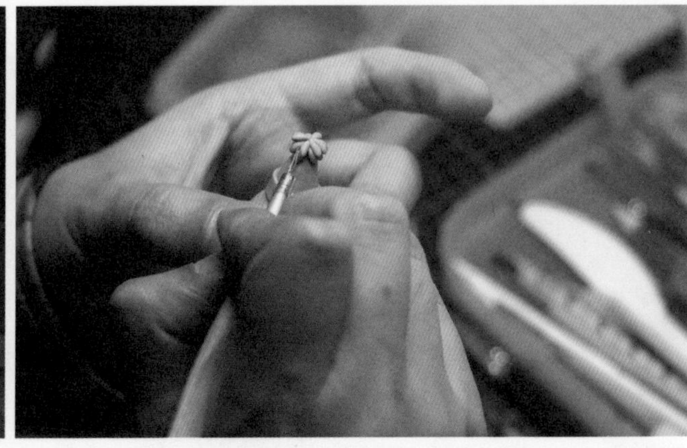

開始著手處理較細緻的部份，這時最好有夾子固定，以方便工作。

Au Sun 專注地雕刻，遇到不平滑的地方可塗一點凡士林撫平。

雕刻更細緻的地方，要花更多功夫，專注力需更集中。

原型
完成

雕泥過程終於完成。一件簡單的油泥模具公仔需花上兩三天的時間，每一個步驟都必須要全神貫注地進行。

5/ **Logo 鋼印**：印在油泥公仔上，打造專屬自家品牌的標記。

6/ **吹風筒**：熱力令低溫陶泥硬化

(注意)

· 用卡紙擋住可令熱風更集中，讓每面平均受熱。

· 約吹五分鐘後停一停放涼，之後再吹五分鐘。油泥未凝固時，因為錫紙表面會有空氣，若果錫紙大量吸收熱力，內部溫度與外面溫度相差太多，會令到熱氣從內部走出來，形成表面的氣泡。

7/ 用鎅刀磨平原型底部

8/ **噴底灰**：以一層最細的底灰去填補表面上的凹凸不平，並突出瑕疵；是次選用 1200 號最幼的粒子。

(注意)

· 用完噴槍後，請以棉花棒沾少少天拿水清洗噴咀，更加耐用。

9/ 放置十五至二十分鐘待乾，再用最幼滑的海綿砂紙磨走瑕疵。

(注意)

· 不要用口吹走微塵，這樣反而會令塵粒黏著原型，甚至會出現水波紋。

10/ **用噴罐噴底灰**：令到原型更厚身光滑，十五至二十分鐘後再噴第二次，先後噴兩次做兩層的效果。

(注意)

· 不能一次過噴太多，一來，會有「流眼淚」的效果（即出現「水滴」），模具出現水波紋；二來，兩層可以更好地填補坑紋位置。

· 請盡量避免細緻位過厚，如果細緻位難以上油，可以用筆掃。

· 要戴口罩，阻擋微粒。

· 視乎效果可用研磨膏拋光

11/ **待乾**：約十五至二十分鐘

5

6

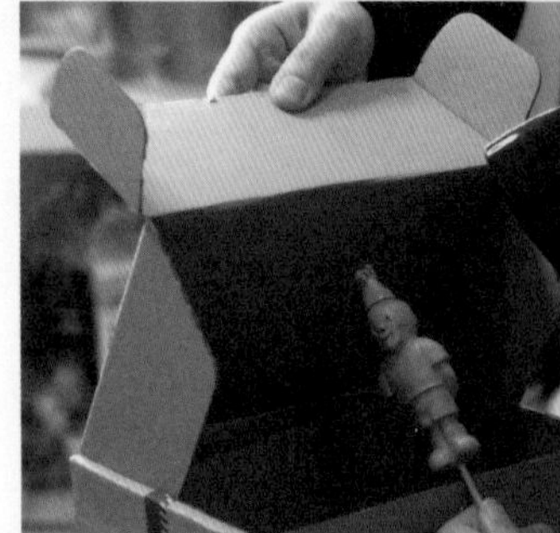

7

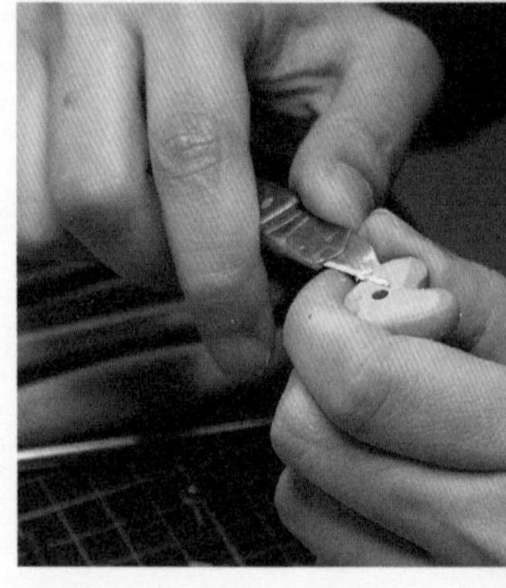

8

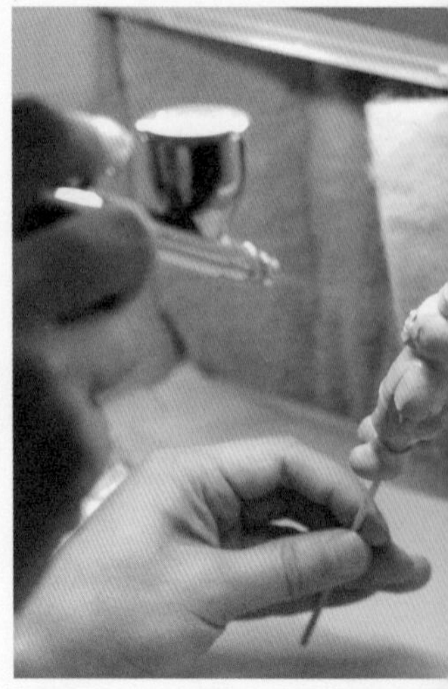

9

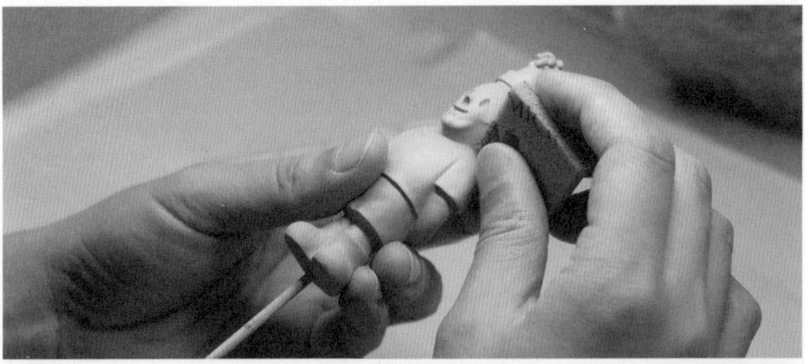

10

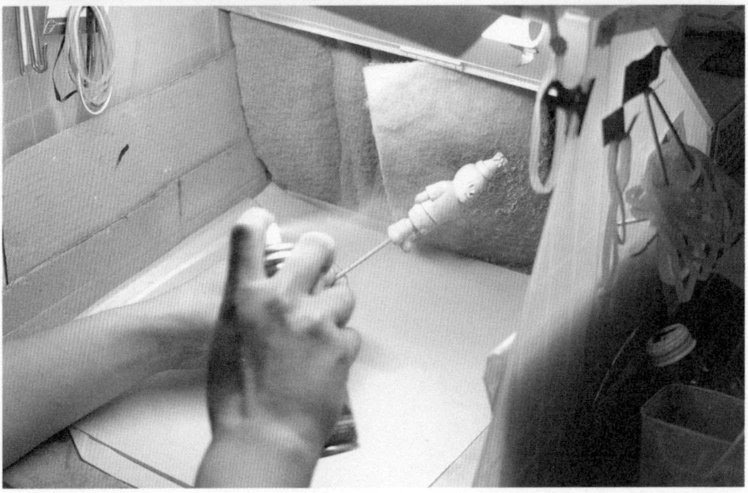

11

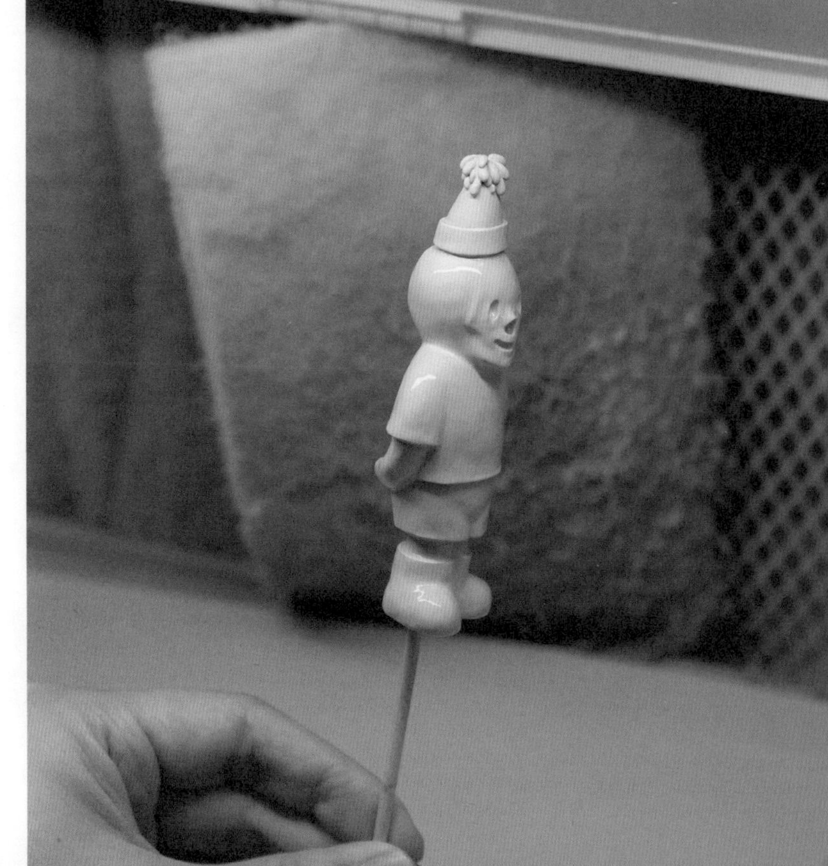

矽膠模具製作

12

14
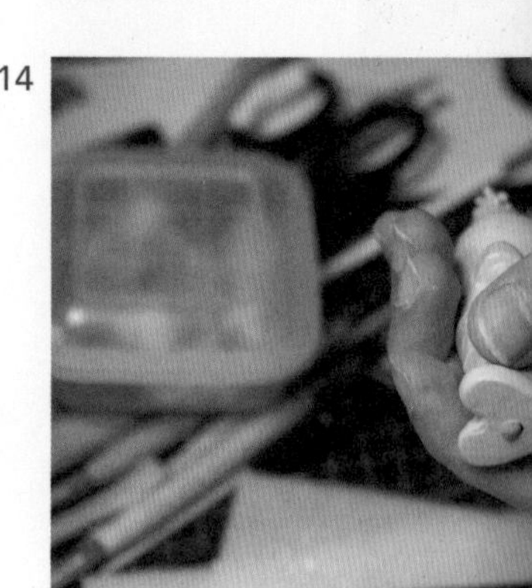

15
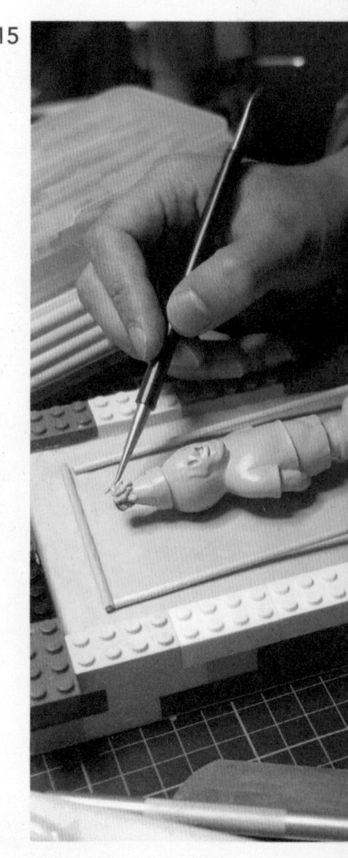

12/ **畫模具草圖**：標誌走氣位

(注意)

・走氣位能將樹脂膠成形時的氣泡谷出來

・需要一出一入的走氣位（走氣路線放置木棒），而且角位及細緻位比較容易積聚氣泡（在該位置放置牙籤）。

13/ **砌 Lego 模具底座**

(注意)

・要梅花間竹卡著砌，封死邊位，以防流出。

・以低溫陶泥（這裡用的是另一款 HOIKU 黏土）來做底層，砌出模的形狀，泥的厚度大約是原型公仔厚度的一半。

14/ 將木棒抽出移離公仔，並以較短的（或可剪短）木棒及低溫陶泥填滿公仔底部，如果讓矽膠進入洞內，油泥原型就失敗了。

15/ 將原型公仔放入，加入預想的木棒及牙籤在模具中做出氣位，加入鋼珠固定位置方便與另一邊的模具對位，然後用 Lego 加高四邊。

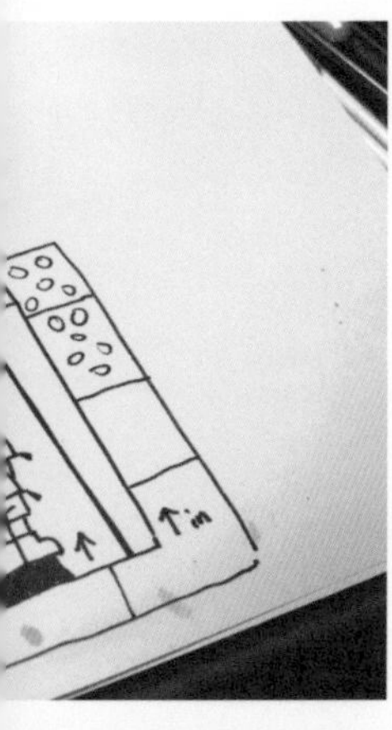

13

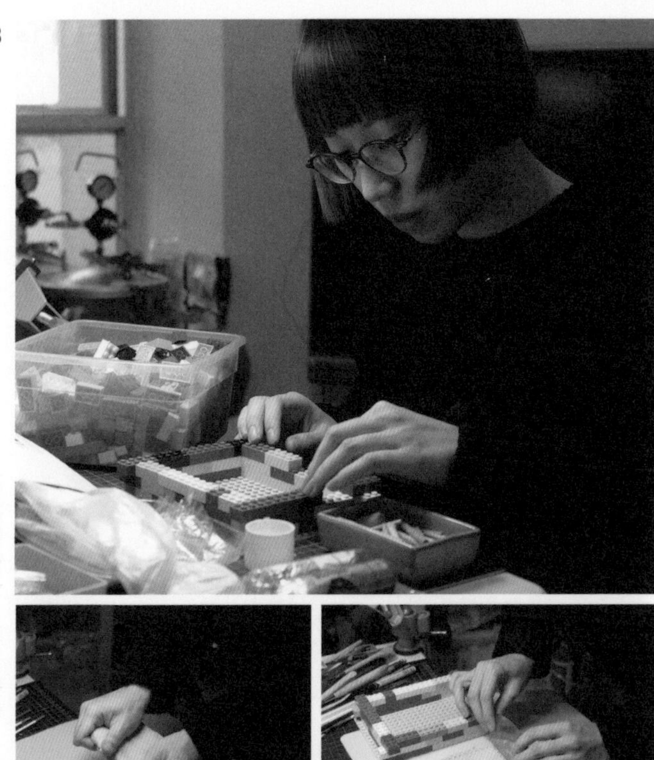

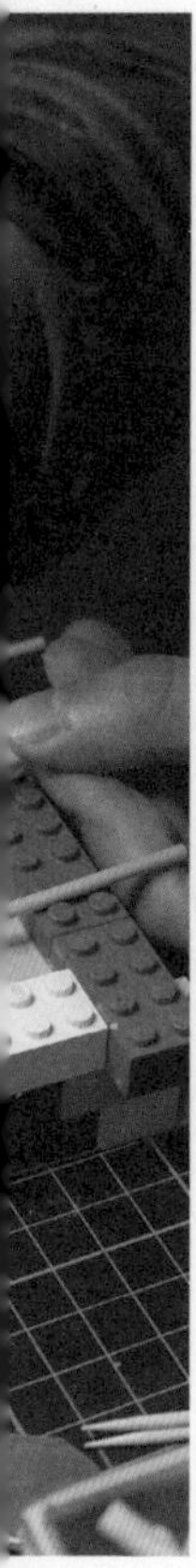

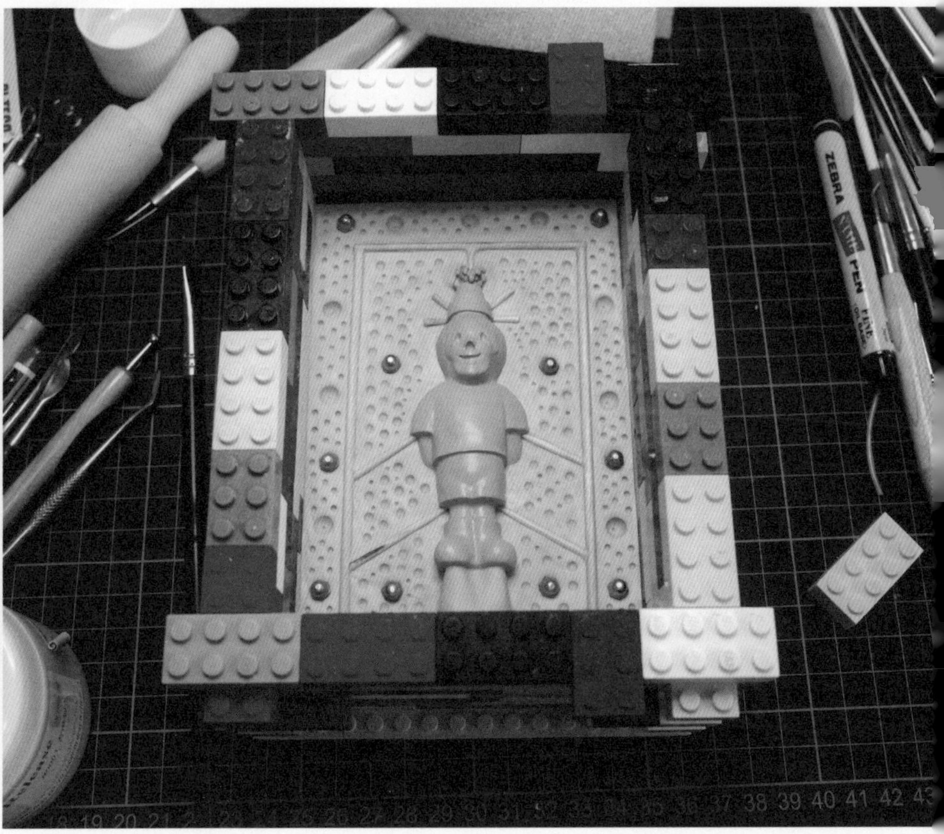

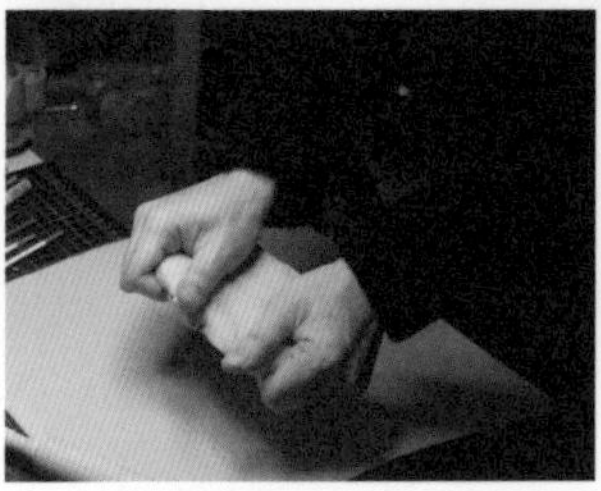

16/ Lego 表面塗上脫模膏，低溫陶泥那面不需要。

(注意)

・一來，低溫陶泥已經有油份，可以輕易分隔開；二來，若果公仔那面掃上，脫模後會出現掃痕，公仔會失敗。

17/ 用間尺量度大小，估計要用的矽膠份量；另外準備凝固劑，矽膠與凝固劑的比例為 100:1.7/1.8。

(注意)

・2 為最大，太多的話會太快凝結，沒有足夠的時間讓氣泡離開，或者未夠順滑；太少的話，凝結的時間則會太長，甚至不會凝結。

18/ 將兩隻裝有液體的杯抽真空去泡，完成後，兩杯混合。

(注意)

・大約有十五分鐘的操作時間，期間不斷攪動混合得更好。

19/ 倒矽膠前用噴槍吹走灰塵，倒矽膠時需要完全覆蓋。

16

18

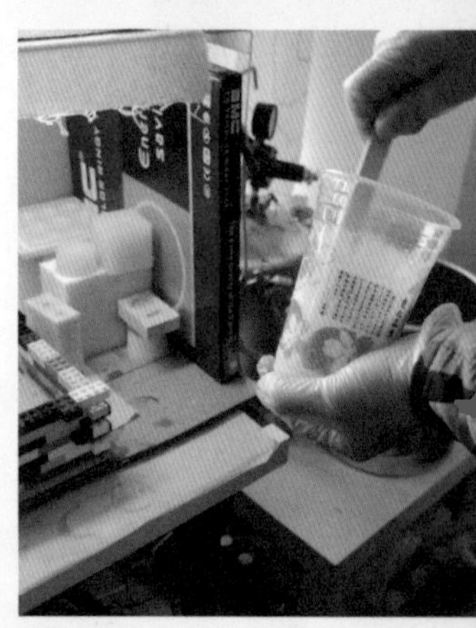

19

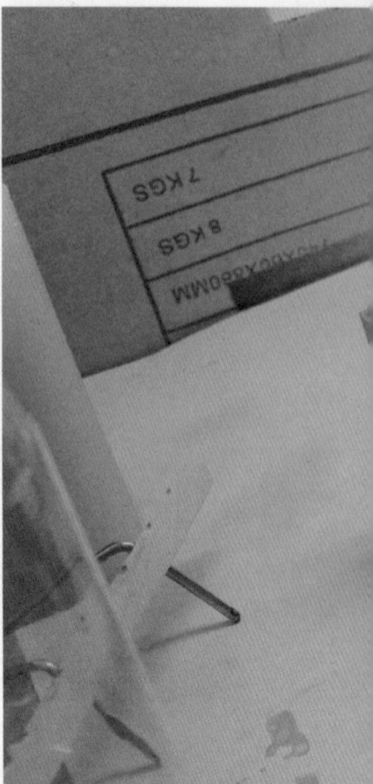

18 | 19

17

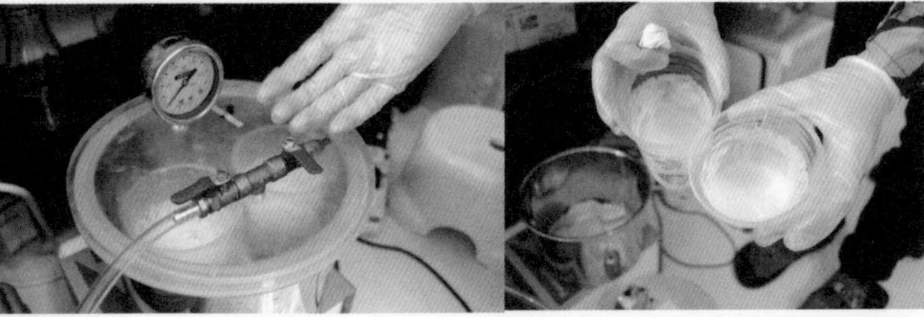

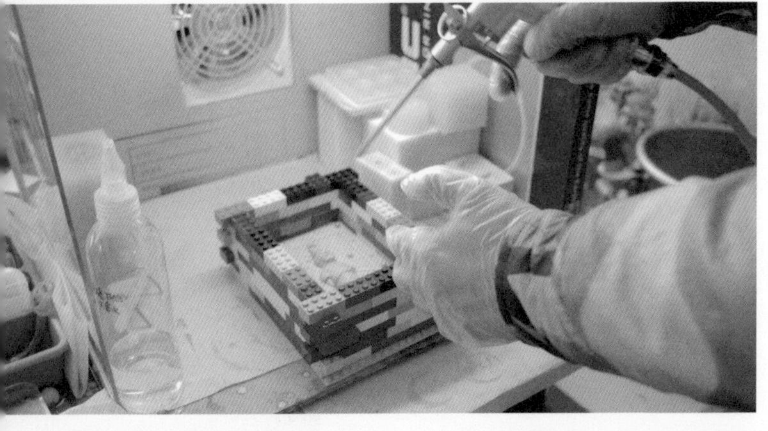

20/ 將模具放入壓力罐，調至 3.5kg/cm^2，如果壓力太高，矽膠將會從模具中被擠出來。

21/ 放置六至八小時凝固

22/ 取出模具，移除油泥，矽膠模那一面要加上脫模劑，再倒入矽膠，重複步驟 17-21。

23/ 拆除 Lego 模具，取出木棒、鋼珠、原型公仔，矽膠模具製作完成。

20

22

23

模具完成

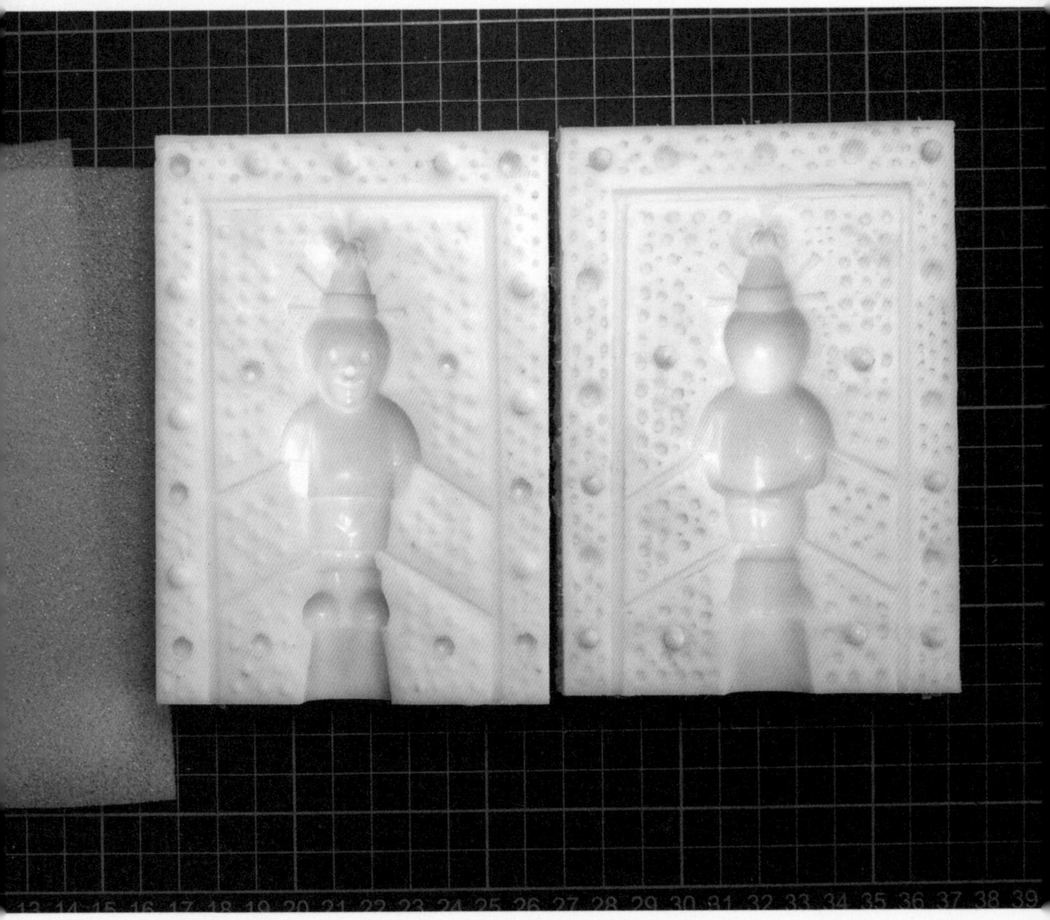

樹脂膠玩具製作及上色

24

24/ 在能夠接觸樹脂的矽膠表面噴上樹脂膠用的脱模劑，為了可使樹脂膠公仔輕易脱模，不要用脱模膏（矽膠用），會留下痕跡。

25/ 用木板及橡筋來固定矽膠模具

26

26/ 準備樹脂膠及凝固劑，比例為 1：1（各 50g），兩杯放入抽真空機去泡。

（注意）

．如要顏色，請準備好份量與樹脂膠混合。

27/ 兩者混合至倒入矽膠模，操作時間只有九十秒，超過九十秒就會在室外凝固，請準備好計時器；剩下的樹脂膠倒入其他矽膠模具作為測試。

（注意）

．請戴手套，混合後非常熱，小心。

27／28

28/ 放入壓力罐，十五分鐘後可以放氣，再過十五分鐘後取出。

25

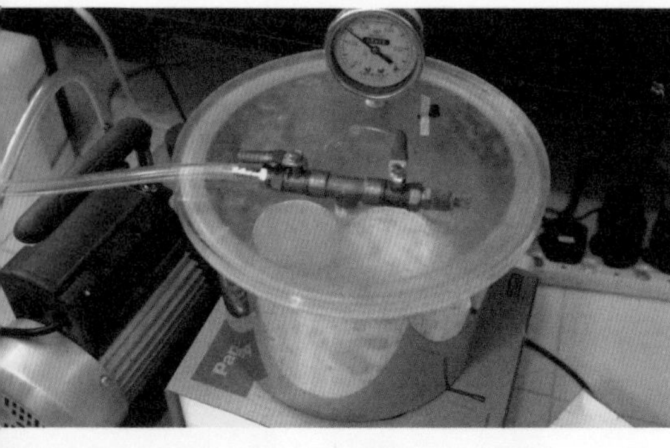

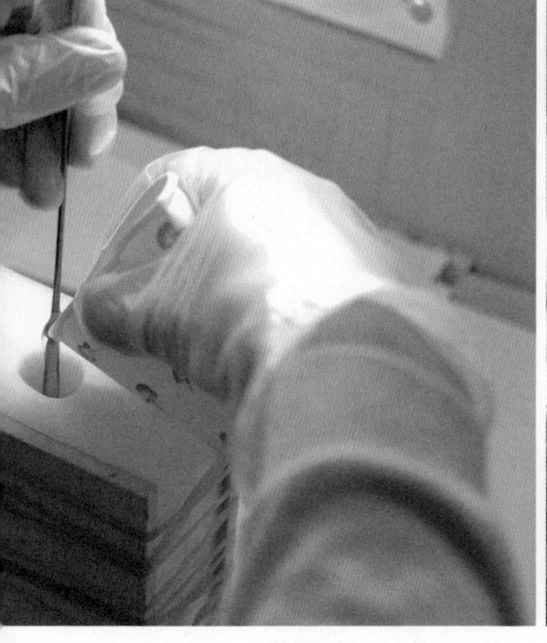

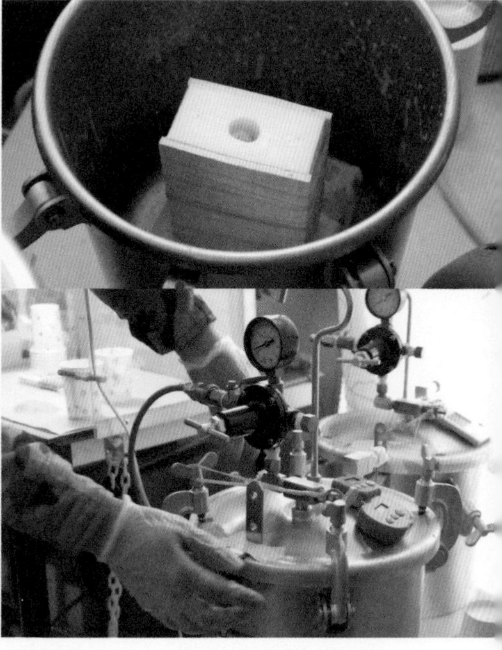

29/ 取出樹脂膠公仔，以人手砂紙及機器打磨，移除分模線讓其更精緻。

(注意)

・複模約三十至四十次，矽膠模就會耗損，需要更換；所以每件模具只能製作出三十至四十件玩具。

30/ 放入超聲波清洗機清洗五分鐘，洗走脫模劑、塵粒等，上色的時候會更貼服。

29

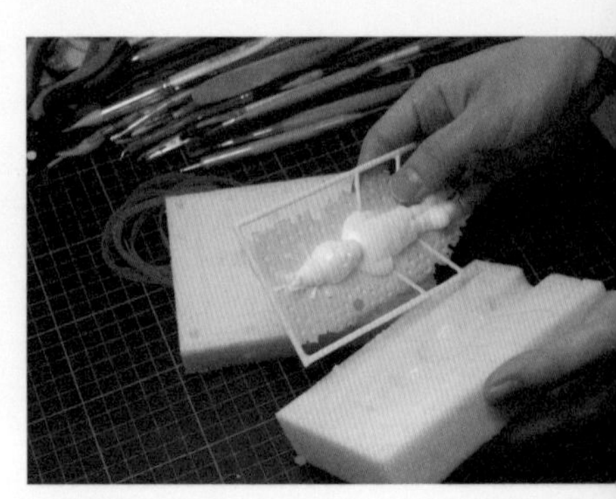

30

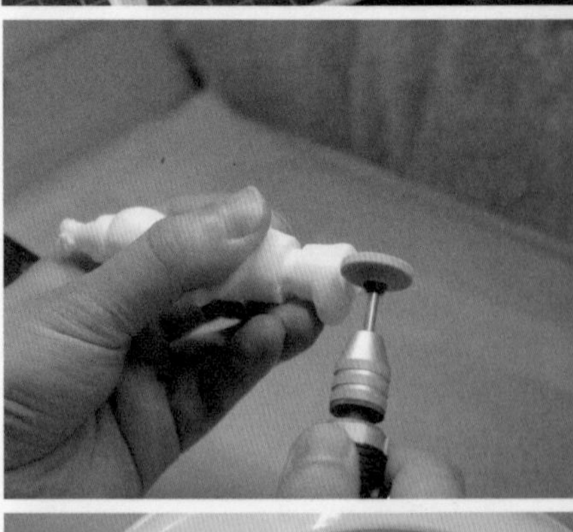

31/ 用遮蔽紙膠帶遮蓋不用上色的位置，人手上色，放置十五分鐘待乾，完成。

(注意)

・如不慎畫錯，可以沾少量天拿水擦拭。

31

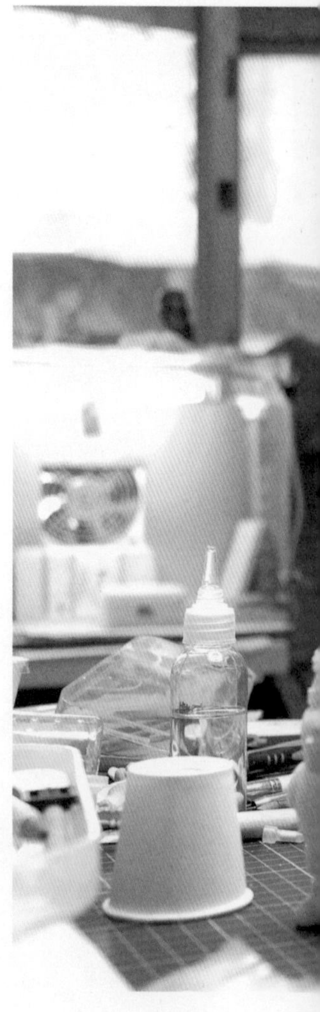

玩具
完成

最終完成品樹脂膠 Skull Boy 出世了。

左：樹脂膠 Skull Boy 及油泥模具 Skull Boy。
中：可製造不同顏色。筆者與攝影師各有一隻。
右：攝影師帶來了 playmobil 公仔作交換，交換玩具過程輕鬆愉快。

後記

是次拍攝過程雖然只有短短一星期，但已足夠令人提心吊膽。因為在製作過程中，只要做錯其中一個步驟，或者混合的比例不對，就會出現失敗品。所以每一次測試的成本都十分高，材料費固然昂貴，但更重要的，是所花的心血會付諸流水。未到最後一刻，都不知道能否成功。

而手做一件玩具，就好像十月懷胎，過程既驚且喜，但當玩具誕生了，就會有無上的滿足感。這便知道一件玩具得來不易，大家要好好珍惜手上的玩具！

Kitty（左）及 Au Sun（右）拿著成品，他們從一直嚴肅拘謹的臉上，稍稍展現出心安的微笑。

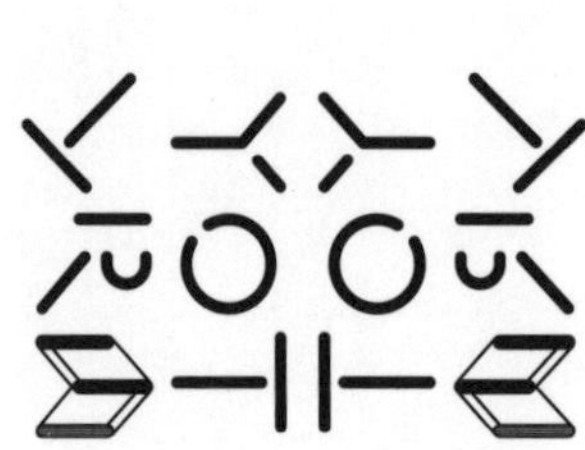

編輯　李宇汶
設計　Vincent YIU

撰文　陸明敏
協作　Don't Cry In The Morning
Facebook　Don't Cry In The Morning
Instagram　dontcryinthemorning

MOLDING
CRAFT
ART TOY
SKETCHES
BRUSH
RESIN
MATERIAL
SCULPTURE
TOOLS
SKULL